Y0-ABP-092

игры для детей

от 2 до 6 лет

игры для детей

от 2 до 6 лет

Перевод с немецкого
ОЛЬГИ АСПИСОВОЙ

Москва «РОСМЭН» 2001

ББК 74. 100. 58
Г 75

Regina Grabbet *Регина Граббет*

Das große bunte Spielebuch für Kinder von 2 bis 6 Jahren

ИГРЫ ДЛЯ МАЛЫШЕЙ ОТ 2 ДО 6 ЛЕТ

© 1996 by Falken-Verlag GmbH,
65527 Niedernhausen/Ts.
Die Verwertung der Texte und Bilder, auch auszugsweise, ist ohne Zustimmung des Verlags urheberrechtswidrig und strafbar. Dies gilt auch für Vervielfältigungen, Übersetzungen, Mikroverfilmung und für die Verarbeitung mit elekrtronischen Systemen.

ISBN 3 8068 48580

Художественно-технический редактор Л. П. КОСТИКОВА
Корректор Л. А. ЛАЗАРЕВА

Издание подготовлено в компьютерном центре издательства «РОСМЭН».

Лиц.изд. ИД № 04933 от 30.05.01.
Подписано к печати с готовых диапозитивов 14.08.01.
Формат 84x108 1/16.
Усл. печ. л. 16,8. Тираж 7 000 экз.
Заказ № 1686. С – 123.

«Издательство «РОСМЭН-ПРЕСС».
125124, Москва, а/я 62.
Тел.: (095) 933-70-70.

МЕЛКООПТОВЫЙ СКЛАД:
Москва, 1-я ул. Ямского поля, 28 (левое крыло).
Тел.: (095) 257-34-75.

ОТДЕЛ ОПТОВЫХ ПРОДАЖ:
все города России, СНГ: (095) 933-70-73
Москва и Московская область: (095) 933-70-75.

Отпечатано на ФГУП Тверской ордена Трудового Красного Знамени полиграфкомбинат детской литературы им. 50-летия СССР Министерства Российской Федерации по делам печати, телерадиовещания и средств массовых коммуникаций.
Россия,170040, Тверь, пр. 50-летия Октября, 46.

Граббет Р.
Г75 Игры для малышей от 2 до 6 лет/ Пер. с нем. О. Асписовой. — М.: ООО «Издательство«Росмэн-Пресс» , 2001. — 160 с.: ил.

В своей книге, адресованной прежде всего родителям, Регина Граббет — специалист, профессионально занимающийся воспитанием детей, — предлагает самые разнообразные игры для дошкольников: игры с обычными предметами, в помещении и на свежем воздухе, музыкальные, развивающие фантазию, игры на концентрацию внимания и многие другие.

ISBN 5-353-00123-0

© Издание на русском языке.
ООО «Издательство «РОСМЭН-ПРЕСС», 2001
Первое издание на русском языке.
Издательский дом «Росмэн», 1999

Прежде чем начать

На первый взгляд потребности детей кажутся совсем непохожими на наши. Порой мы соглашаемся поиграть с ними только для того, чтобы они наконец успокоились и не действовали нам на нервы. Если говорить откровенно, то часто мы с большей охотой почитали бы газету или посвятили себя еще какому-нибудь интеллектуальному занятию, вместо того чтобы рисовать, играть в машинки, петь или безобразничать вместе со своими малышами.

Однако мы прекрасно знаем, как весело можно провести время с детьми. Нужно всего лишь собраться с духом и начать.

Тогда мы без стеснения займемся ерундой, будем с удовольствием пачкать все вокруг глиной, пластилином или пеной для бритья либо колотить по донышку кастрюли, выбивая ритм дурашливых песенок. Играя в клоунов, мы станем смеяться над разноцветными точками на своем лице, стоять с бьющимся сердцем за дверью квартиры, изображая электрика в ожидании: сейчас что-то случится... И в один прекрасный день мы, возможно, даже откроем у себя талант выдумывать удивительные истории.

А самым поразительным и полезным для нас станет открытие, что дети, разобравшись в игре и с радостью поиграв вместе с нами, охотно продолжат играть одни.

Итак, нужно подать детям пример, поиграть вместе с ними и затем устраниться. Но может быть, именно тогда нам больше уже не захочется читать газету. Ведь окажется, что гораздо интереснее сидеть в картонной лодке и следить за таинственным островом, глядя в самодельную подзорную трубу.

Замечание. Может создаться впечатление, что некоторые игры, представленные в этой книге, реально осуществимы только для больших групп детей. Однако это не так. Почти во все игры можно играть в кругу семьи или с несколькими детьми. Если вам захочется, вы можете изменить условия игры или поимпровизировать. Точное число участников игры указано только в тех случаях, когда это действительно важно.

Игры могут доставить еще больше удовольствия, если дети пригласят соседей, друзей или родственников. Попробуйте хоть раз! День, проведенный с детьми, будет гораздо веселее, чем скучная болтовня со взрослыми.

Содержание

Игры с помощью ощущений. Развлечения для самых маленьких 9

Игры с помощью ощущений. Развлечения для самых маленьких

Двухлетнему человеку трудно принять правило, по которому во время игры все должны выступать по очереди, упорядоченно. Он еще не понимает, что правила игры необходимы. Понимание придет постепенно, на третьем году жизни.

Двух-трехлетние дети, для которых предназначены игры в этом разделе, заняты тем, что с любопытством исследуют и завоевывают окружающий их мир. В этом возрасте у них, как правило, неожиданно начинает получаться то, что прежде никак не получалось, — например, ловить мяч, брошенный с небольшого расстояния. И других детей они постепенно начинают воспринимать уже более осознанно, охотнее играют вместе.

Конечно, языковые возможности детей в этом возрасте еще ограниченны. Поэтому малыши чаще выражают свои чувства с помощью красок и пластилина, музыки и движения, чем языка. Совершая любые действия, они накапливают опыт. У них преобладают чувственные впечатления, вызываемые активностью любого рода, а интеллектуальное осмысление еще не пришло. Потребность получать новые впечатления очень велика. К сожалению, взрослые зачастую не разделяют детской радости от чувственных впечатлений и ждут от своих малышей большей разумности. А ведь и им очень полезно пережить и разделить с детьми их восторг от подвижных игр, красок, музыки, лепки или игр с пальцами.

Итак, давайте просто попробуем. В этом разделе предложены игры, развивающие чувственный опыт, и дается множество полезных подсказок для развития ощущений у маленького ребенка. Но и дети повзрослее, без сомнения, получат от этих игр немало удовольствия.

Ласковые игры

Ласковые игры — это игры с прикосновениями, когда можно прикасаться друг к другу. Особенно уютно играть под одеялом, в постели, на диване или на матрасе, а можно на полу, на мягком ковре.

Слон у папы на спине

Понадобятся:
- одеяло
- игральный кубик

Все дети, пожелавшие участвовать в этой игре, лежат под одним одеялом на животе и закрывают глаза. Взрослый водит одним или несколькими пальцами по их спинкам, как бы рисуя очертания разных предметов. Кто угадал, что нарисовано, водит сам. Если двухлетним это окажется слишком трудно, можно «пустить им» побегать по спине разных животных: кошку, муравья, слона. Ведь походка у животных разная, и движениями рук по спине можно ее воспроизвести. Если кто-нибудь из маленьких участников игры пожелает получить в дополнение еще несколько «ласковых минут» — бросают кубик. Выпадет «шесть» — его погладят (сколько минут, тоже определяет кубик), обнимут или сделают ему массаж. Особая ласка — поцеловать в нос! Дети очень любят ласку, нежность и тепло. И все это можно соединить с замечательными играми.

Погладь статую

Понадобится:
- одна или несколько простыней

Один малыш выходит из комнаты — он будет водить. Остальные прячутся под простынями. Когда водящего позовут обратно, они должны молчать и не двигаться — быть как статуи. Водящий ощупывает «статуи» одну за другой. Спрятанные под покрывалом участники игры не должны выдавать себя ни хихиканьем, ни приступами булькающего смеха, ни другими звуками. Если водящий догадался, кого именно он нащупал, водить может идти другой — например, тот, кого узнали самым последним или вообще не узнали.

Великолепная «ласкательная машина»

Один ребенок встает позади другого и чешет ему спину. Третий ребенок (или взрослый) может встать или сесть рядом со вторым и, к примеру, поглаживать ему ногу, массировать стопы или делать еще что-нибудь приятное в том же духе. Так продолжается, пока все находящиеся в комнате не окажутся связанными между собой почесываниями, щекоткой или массажем. При этом каждый может двигаться и выражать свое удовольствие восклицаниями: *«Ох!», «Ах!», «Как хорошо!»*. Важно только обходиться друг с другом с любовью и осторожностью.

Совет. «Ласкательную машину» можно «запустить» утром, в родительской постели, всей семьей вместе.

«Ласкательная машина» работает на полную мощность.

Ласковая цепочка

Все сидят рядком, друг за другом, последний — организатор игры. Он шепчет на ухо сидящему перед ним ребенку команду, например: *«Погладь по головке»*. Малыш, разумеется, слушается. Сидящий перед ним ребенок реагирует соответственно и тоже начинает гладить того, кто впереди. Так поглаживание по головке, как цепная реакция, доходит до конца цепочки. Теперь, когда уже все играющие активно позанимались поглаживанием, следует какая-нибудь новая команда.

«Ласковый» приз

Все сидят уютно рядышком и, разделившись на две команды, играют в вопросы и ответы. Взрослый участник игры из первой группы спрашивает, например: *«Какие бывают плюшевые звери?»* Игрокам второй команды дается одна минута, чтобы перечислить все свои любимые мягкие игрушки: медвежонка, зайца. За каждый ответ полагается «плюшевое очко». Затем вопрос задает старший из второй команды. Например: *«К кому вам приятно приласкаться?»* Дети из первой команды перечисляют тех, кого вспомнят, — от бабушки до дяди Володи. Это уже более сложный вопрос, ведь не к каждому из знакомых ребенку людей ему хочется приласкаться. Вы опять считаете очки. Когда все вопросы иссякнут, сложите «плюшевые очки». Выиграла команда, заработавшая больше очков, и теперь другая команда должна исполнить ее желания и от всего сердца приласкать победителей. Можно попросить почесать спинку, помассировать ноги и т. д.

Догадается ли Настя, какие игрушки спрятаны?

Праздник мягких игрушек

Понадобятся:
- одеяло
- мягкие игрушки
- кукольная посуда
- сок и печенье

Давайте соберем все мягкие игрушки и устроим веселый праздник — с кукольной посудой, соком и печеньем! Каждую плюшевую зверюшку нужно обязательно назвать по имени, чтобы дети эти имена запомнили. Сначала поиграйте в «застольные беседы» за чашечкой кофе. Потом уложите всех зверюшек под одеяло. Туда же пусть забирается и ребенок. Он должен нащупать и назвать по имени как можно больше игрушек. Если одеяло достаточно большое, вы можете заползти под него вместе с детьми. Сначала нужно прикоснуться друг к другу, а потом постараться найти своего любимого плюшевого зверя и на ощупь угадать остальных. А можно спрятать игрушку где-нибудь в комнате: пусть ребенок ищет ее — если хотите, даже с завязанными глазами.

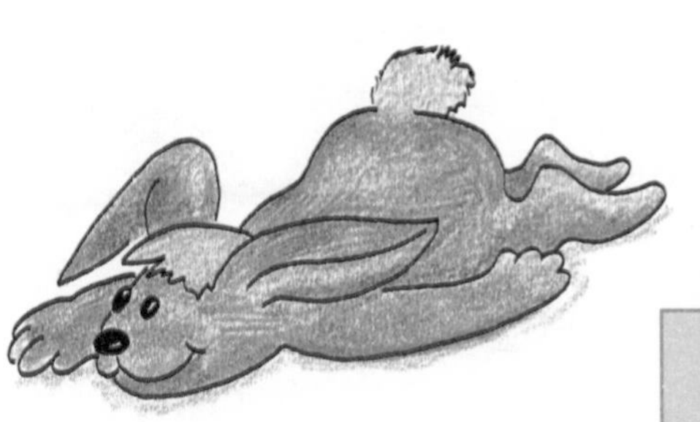

Советы родителям

Детям необходима нежность и телесный контакт. С помощью несложной игровой деятельности дети и родители могут получить положительный опыт ласки и телесной близости.

Спрятанная игрушка

Понадобятся:

- одно или несколько одеял
- мягкие игрушки

Уложите детей поудобнее под одеялом. Пусть каждый из них выберет себе плюшевого зверя, которого будет прятать. Спрятать есть куда: под свитер, в штанину или под попу. Дайте сигнал — и под одеялом должны начаться поисковые работы. Чтобы не было слишком уж шумно, искать может кто-нибудь один. Если остальные дети огорчатся, можно спрятать несколько игрушек.

Песня про чиханье

Дети по двое становятся друг против друга и щекочут друг другу носы. А заодно поют песенку про чиханье на подходящий мотив. Слова могут быть, предположим, такие:

Я щекотки не боюсь,
Только весело смеюсь.
Ха-ха-ха! Хи-хи-хи!
Ап-чхи! Ап-чхи!

Я чихаю, я смеюсь —
Но щекотки не боюсь!
Ап-чхи! Ап-чхи!
Ха-ха-ха! Хи-хи-хи!

Игры с пальцами

Однажды среди зимы мы застряли в пробке на шоссе. Ожидание длилось бесконечно. На заднем сиденье были Аня и Оля, двух и трех лет. Терпение у них быстро кончилось, и они начали реветь. Их игрушки, конечно же, остались дома. Отец, сидя за рулем, нервничал все больше и больше и в конце концов накричал на девочек. Неожиданно мне в голову пришла спасительная мысль: я объявила, что сейчас будет представление кукольного театра. Все удивились: откуда же здесь, в машине, было взяться куклам? А я придумала одну из самых лучших игр с пальцами, какие только знаю. Дети перестали плакать и смотрели с восторгом.

Игры с пальцами — это театр актеров, которые всегда с нами. А чтобы нарисовать на кончиках пальцев веселые лица и придать им выразительность, достаточно фломастера. Уж его-то раздобыть нетрудно.

Всем вам знакомы ситуации, когда нужно отвлечь детей, помочь им скоротать ожидание или остановить крик. Очень важно заранее знать, какую пьесу можно разыграть с помощью собственных пальцев. Тогда останется только хорошо владеть текстом и ловко двигать пальцами. Но это не так уж и сложно. Если вы отрепетируете и то и другое так же серьезно, как это делают знаменитые актеры, то при первой же возможности сможете порадоваться впечатлению, которое произведет на детей ваш театр пальцев, и порадоваться гораздо больше, чем актеры радуются аплодисментам, которые им достаются от публики.

Всего-навсего разрисовать кончики пальцев и надеть на них маленькие колпачки — и начались веселые игры с пальцами!

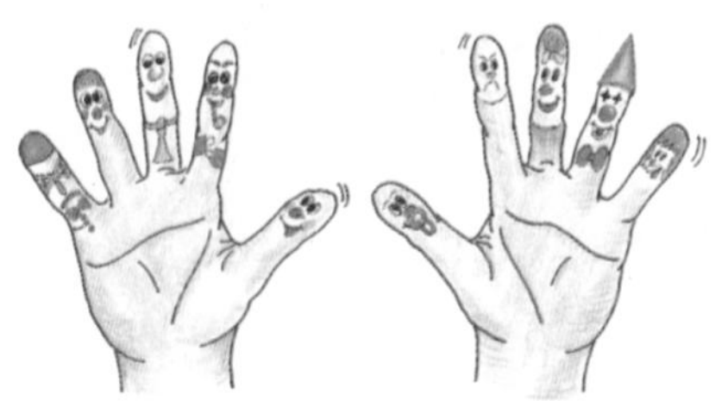

В играх с пальцами звучание вашего голоса и громкость произносимого текста (например, шепот или громкая возбужденная речь), а также движения отдельных пальцев и всей руки должны придавать выразительность рифмам, если текст в стихах. Лица, нарисованные на кончиках пальцев, должны быть по возможности разными. Все выйдет ярче и веселее, если у вас под рукой окажутся фломастеры разных цветов. Но и шариковой ручки достаточно. Маленькие шапки-наперстки из бумаги или ткани усилят выразительность представления. С помощью иголки и нитки, клея и маникюрных ножниц можно сделать даже маленьких куколок на пальцы. Воспользуйтесь цветной бумагой, ситцевыми лоскутками. Такие куколки для пальцев — отличный подарок ребенку и в день рождения, и к Новому году, и к Рождеству.

С их помощью можно развлечь ребенка, если приходится, к примеру, долго сидеть в очереди к врачу. Если у каждого из детей есть своя собственная куколка на палец, общие игры доставят им еще больше удовольствия. Маленьких кукол-исполнителей хорошо хранить в ярко раскрашенной или оклеенной цветной бумагой коробке. Тогда они будут всегда наготове, а дети смогут поиграть в них сами, выдумывая новые истории.

Вот несколько примеров пьесок для театра пальцев, пользующихся у маленьких детей особой популярностью. Тексты можно произносить или петь, сопровождая их движениями рук и пальцев.

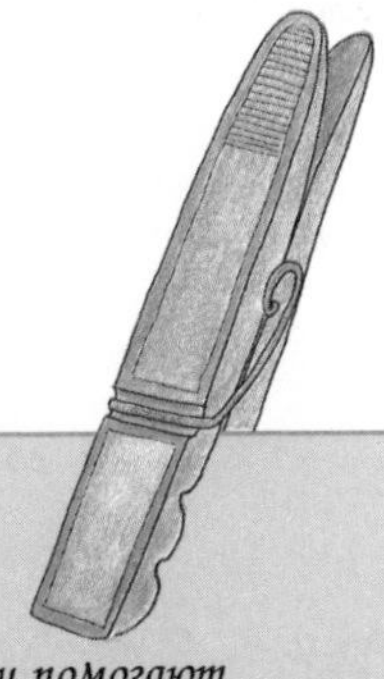

Советы родителям

Игры с пальцами помогают активизировать чувственное восприятие малыша и одновременно создают между ним и вами близость и доверие. Детям трудно самим сделать кукол для пальцев. Их тонкая моторика развита еще не настолько, чтобы они смогли вырезать маникюрными ножницами крошечные глаза, клюв или же другие детали. Так что придется взрослым взять эту работу на себя.

Погода

Холодно. Осень. Пальцы мои
Дружно ругают холодные дни.
Пальчик-одуванчик (мизинчик) жалуется:
Ой-ой-ой!
Холод-то какой!
Указательный палец шепчет едва слышно:
Эх-эх-эх!
А вдруг пойдет снег?
Средний палец ворчит:
Ох-ох-ох!
От ветра я оглох!
Безымянный палец кричит:
Ай-ай-ай!
Солнце, вылезай!
Здоровяк большой палец восклицает:
Ах-ах-ах!
Жаль, я не в сапогах!
Ух-ух-ух!
Дайте мне кожух!

Мой домик

Пусть мой домик кос и крив,
Посмотри, как он красив!
Видишь — из окошка
Выглянула кошка!
(Дети смотрят на «домик» со всех сторон с одобрением.)
Ветер воет: «У-у-у!
В клочья домик разорву!»
(Дети сильно дуют на «домик».)
Но он крепкий, домик мой,
Хоть косой он и кривой!
(Дети ладошками как бы пытаются сдавить «домик», но он не поддается.)
Пусть неделю ветер воет —
Домик мой меня укроет!
(Дети делают ладошками крышу над головой.)

«Угадай-ка на пальцах!»

Руками и пальцами вы что-нибудь изображаете, а дети угадывают, что это. (Например, крокодил или ножницы.) Кто угадал, может сам загадать загадку.

Твои пальчики

Этот пальчик — самый большой,
Самый веселый, самый смешной!
(Показываете ребенку большой палец.)

Этот пальчик — указательный.
Он солидный и внимательный.
(Указываете на что-нибудь указательным пальцем.)

Этот пальчик средний,
Ни первый, ни последний.
(Отгибаете средний палец.)

Этот пальчик — безымянный,
Он не любит каши манной.
(Согните безымянный палец, как будто он не хочет каши.)

Самый маленький — мизинчик,
Любит бегать в магазинчик!
(Оттопырьте мизинец, будто он хочет убежать от остальных пальцев.)

Десять тонких пальцев

Десять тонких пальцев
Ходили по грибы.
Один под елкою заснул,
И их осталось девять.

Девять тонких пальцев
Ходили по грибы.
Один под елкою заснул,
И их осталось восемь.

Восемь тонких пальцев
Ходили по грибы.
Один под елкою заснул,
И их осталось семь.

Семь тонких пальцев
Ходили по грибы.
Один под елкою заснул,
И их осталось шесть.

Шесть тонких пальцев
Ходили по грибы.
Один под елкою заснул,
И их осталось пять.

Пять тонких пальцев
Ходили по грибы.
Один под елкою заснул,
И их осталось четыре.

Четыре тонких пальца
Ходили по грибы.
Один под елкою заснул,
И их осталось три.

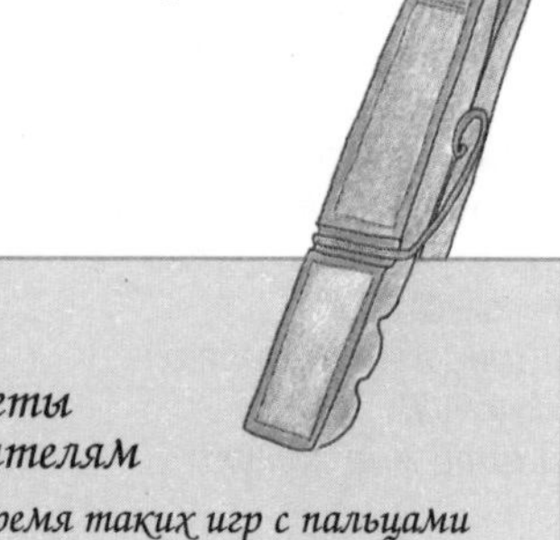

Советы родителям

Во время таких игр с пальцами интонация и ритм произнесенного текста гораздо важнее любых движений пальцев.

Небольших кукол для пальцев можно быстро смастерить из картона, бумаги или тряпочек.

Кукольный театр

Понадобятся:

- ткань или бумага разных цветов
- иголка и нитки
- ножницы
- клей
- зеленый чулок
- черная пуговица

1. Сначала сделайте для вашего кукольного театра кукол на пальцы: Петрушку, Клоуна, Ведьму и Крокодила.

Для трех первых кукол — Петрушки, Клоуна и Ведьмы — выкройте из плотной ткани по две одинаковые детали. Их размер должен соответствовать толщине вашего пальца. Не забудьте припуск на швы! Сложите обе детали лицевой стороной, сшейте их вместе и выверните.

2. Лицо (если оно по цвету должно отличаться от всего остального), глаза, нос и рот вырежьте из плотной ткани или бумаги и наклейте на нужное место. В крайнем случае детали лица можно и нарисовать на ткани толстыми фломастерами-маркерами.

3. В завершение вырежьте из ткани кружок диаметром около 10 см и разрежьте его на четыре равные части. Из них сшейте маленькие платочки или шапочки. Закрепить их можно с помощью иголки и нитки или наклеить.

4. Крокодил получается из кисти руки. Лучше всего натянуть на руку зеленый чулок и пришить вместо глаза пуговицу.

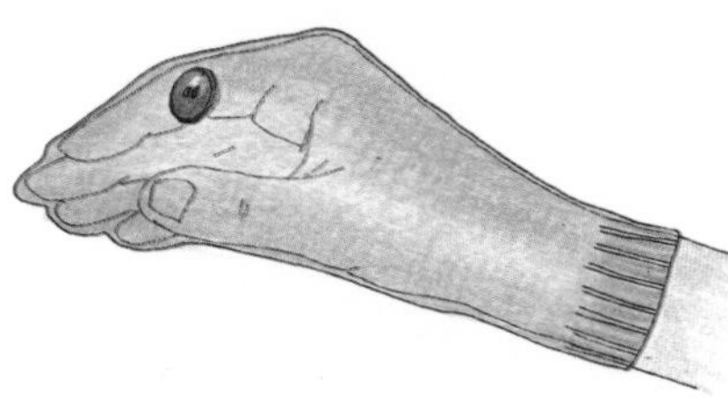

Я — Петрушка!
(Пошевелите пальцем, на который надет Петрушка.)
Дамы и господа! Привет!
Дайте-ка мне ответ:
«Зачем вы пришли сюда?
Меня вы любите? Да?»
(Дождитесь ответа детей.)
Тогда я Колю приведу.
(Коля — средний палец.)
Мы с Колей едва не попали в беду!
(Оба пальца как бы дрожат.)
Ой, посмотрите, беда, беда!
Злющая Ведьма идет сюда!
(Ведьма — это мизинец.)
Слышите, что она говорит?
Будто в лягушку меня превратит.
(Ведьма грозит Петрушке, а он грозит ей в ответ.)
Не боюсь тебя, Ведьма, стой!
Петрушка прогонит тебя домой!
(Петрушка толкает Ведьму.)
А это ползет Крокодил ужасный,
С пастью громадной — он очень опасный.
(Пасть Крокодила — раздвинутые пальцы второй руки.)
В траве незаметно засел Крокодил.
(Рука не шевелится.)
Ой, он Петрушку почти проглотил!
Но храбрый Петрушка разжал ему пасть...
(Пасть крокодила широко раскрывается.)
Не суждено Петрушке пропасть!
(Выходит Петрушка, освободившийся от Крокодила.)
Плохо пришлось потом Крокодилу.
Еле уполз к Нилу.
(Крокодил исчезает.)
Счастливый Петрушка с нами остался,
А потом вдруг жениться собрался.
(Петрушка убегает и по пути кричит:)
Эй, дорогие зрители!
Развлечься вы не хотите ли?
Тогда скорей собирайтесь,
На свадьбу ко мне отправляйтесь!

Пропавшие руки

Дети поют на произвольный мотив:

У меня пропали руки.
(Руки за спиной.)
Где вы, рученьки мои?
Раз, два, три, четыре, пять —
Покажитесь мне опять.
(Показывают руки.)

Песенку можно изменять, вставляя вместо рук, например, глаза, уши, нос и т. д. Дети закрывают рукой то, что было названо, и убирают руку после последней строчки.

Гроза

Закапали капли
(постучать двумя пальцами каждой руки по столу),
идет дождь
(постучать четырьмя пальцами).
Он льет как из ведра!
(Стучите сильнее.)
Пошел град
(косточками пальцев выбивайте дробь),
сверкает молния
(шипящий звук, нарисуйте пальцем в воздухе молнию),
гремит гром!
(Барабаньте кулаками или хлопайте в ладоши.)
Все быстро убегают домой.
(Прячьте руки за спину.)
А утром снова ярко светит солнце!
(Опишите обеими руками большой круг.)

Песенка о левой и правой руке

Дети хлопают в ладоши и поют песенку на произвольный мотив.

Смотрите-ка, вот две руки:
Правая и левая!
Ла-ла, ла-ла, ла-ла!
Они в ладоши могут бить —
Правая и левая.
Ла-ла, ла-ла, ла-ла.
(Дети хлопают в ладоши.)

Они мне могут нос зажать —
И правая, и левая.
Ла-ла, ла-ла, ла-ла.
(Дети зажимают себе нос.)

Ладошкой могут рот прикрыть —
И правая, и левая.
Ла-ла, ла-ла, ла-ла.
(Дети прикрывают рот по очереди правой и левой ладошкой.)

Дорогу могут показать —
И правая, и левая.
Ла-ла, ла-ла, ла-ла.
(Дети показывают дорогу то правой, то левой рукой.)

В носу умеют ковырять —
И правая, и левая.
Ла-ла, ла-ла, ла-ла.
(Дети ковыряют в носу по очереди правой и левой рукой.)

А если кто-то завопит —
И правая, и левая
Помогут уши мне заткнуть.
Ла-ла, ла-ла, ла-ла.

С руками я всегда дружу —
И с правою, и с левою.
Могу я друга подразнить —
И правою, и левою.
Ла-ла, ла-ла, ла-ла.

Покажут нос ему порой
И правая, и левая!
И ушки. Где? Над головой!
И правая, и левая!
Ла-ла, ла-ла, ла-ла.

Но могут ласковыми быть
И правая, и левая.
Обнимут вас, ко мне прижмут
И правая, и левая!
Ла-ла, ла-ла, ла-ла.

(После каждого куплета дети показывают, что могут сделать их правые и левые руки.)

Тишина и шум

Пальчиком, пальчиком
Тук-тук-тук-тук!
(Дети стучат сначала по столу указательными пальцами, а затем постепенно всеми остальными.)
Ладошкой, ладошкой —
хлоп–хлоп–хлоп–хлоп!
Локтями, локтями
стук–стук–стук–стук!
На головку руки по-ло-жи,
Что-то очень важное скорей скажи!
А теперь из пальчиков
Сделай очки!
Рот закрой и хитро
По-мол-чи!
(Дети прикладывают палец ко рту, затем поднимают руки вверх, с грохотом опускают их на стол и при этом громко кричат.)

Мышиная семья

Это папа-мышь.
(Дети показывают большой палец.)
Он красивый,
Как все мышки:
У него мягкая шкурка
(дети гладят одной рукой кисть другой руки),
У него большие уши
(дети пальцем рисуют в воздухе уши),
У него острый носок
(дети складывают кончики пальцев вместе и приставляют их к носу),
А хвост во-о-о-от такой!
(Дети показывают руками отрезок примерно в 30 сантиметров.)

Дальше все повторяется для мамы-мыши — это указательный палец, для брата-мыши — это средний палец и для сестры-мыши — это безымянный палец.
А это мышка-малышка.
(Дети показывают мизинец.)
Она совсем не похожа на других мышей!
(Дети качают головой.)
Шерстка у нее гладкая,
ушки маленькие,
носик остренький,
а хвост во-о-от такой!
(Дети показывают руками все, как и прежде, только меньших размеров, и хвост примерно в 7 сантиметров.)

Динь-динь-бом!

Динь-динь-бом!
(Дети поворачивают руки ладонями то вверх, то вниз.)
Ходит кошка с бубенцом!
(Те же движения ладонями.)
Мыши сразу услыхали.
Динь-бом, динь-бом!
Быстро в норку побежали.
(Кончики пальцев быстро бегут по столу.)
Динь-бом, динь-бом!
Затворили крепко дверь.
(Дети прячут руки под стол.)
Динь-бом, динь-бом!
Не поймаешь их теперь!
Динь-бом, динь-бом!
(Дети показывают то кулак, то ладонь.)

Куба-куба!

Покажите ваши пальцы — куба-куба!
Каждым пальцем — тук-тук-тук!
(Дети показывают все пальцы по очереди и стучат ими по столу.)

Покажите ваши руки — куба-куба!
Всей ладошкой хлоп-хлоп-хлоп!

Покажите ваши ноги — куба-куба!
Каждой ножкой топ-топ-топ!

Веселый гном

Жил да был веселый гном
(дети поднимают руки над головой, изображая колпачок)
С круглыми ушами.
(Описывают руками большие круги вокруг ушей.)
Он на сахарной горе
(локти на столе, руки прямо, ладони сложены так, что образуется треугольник)
Спал под воротами.
(Пальцы изображают ворота.)
Вдруг, откуда ни возьмись,
Великан явился.
(Руки высоко подняты над головой.)
Слопать гору он хотел
(подносят руки ко рту),
Только подавился!
(Дети давятся от смеха.)
Ну а что ж веселый гном?
Так и спит глубоким сном!
(Дети изображают спящего гнома.)

Кошка и горшок с молоком

В кухне нашей под столом
Стоит крынка с молоком.
(Дети складывают из большого и всех остальных пальцев руки кружочек.)
К крынке кошка подошла
(показывают указательным и средним пальцами — это ноги кошки, — как она идет),
Сверху сливки попила.
Глубже сунулась в горшок:
— Молочка напьюсь я впрок!
(Средний палец — это голова кошки — засунуть в кружок.)
Что случилось? Ой-ой-ой!
Кошка крутит головой.
Налакалась молочка —
Не уйти ей без горшка!
(Хлюпающие звуки.
Дети пытаются вытянуть средний палец из кружка.)
С головы горшок не слез.
С ним и убежала в лес!
(Топоча пальцами обеих рук по столу, показывают, как кошка убегает.)

Заяц и кочан капусты

Встал зайчишка рано
(кончики пальцев одной руки образуют мордочку, а выпрямленные указательный и средний пальцы — уши),
Вышел на поляну.
По опушке к лесу шел
И большой кочан нашел.
(Кулак другой руки изображает кочан капусты.)
Стал зайчишка с хрустом
Грызть кочан капусты:
Хруст-хруст, хруст-хруст...
(Заяц грызет кулак и причмокивает.)
Съел, свалился под куст
И уснул. Проснулся,
Сладко потянулся.
(Растопыривает все пальцы.)
А домой добрался —
Долго отдувался!
(Показывает, как заяц движется по столу.)

Улитка

Правая рука изображает улитку: указательный и средний палец — это рожки, сначала они высунуты. Левая рука, сжатая в кулак, изображает домик улитки.

В саду, за старою калиткой
Ползет по камешку улитка,
Улитка выпустила рожки
И смотрит, будто из окошка...
Но вдруг увидела меня
И спряталась, как от огня,
В ракушку — домик завитой,
А я пошел к себе домой.

Самолет

Правая рука изображает самолет: большой палец и мизинец оттопырены — это крылья.

Летит самолет
Высоко-высоко!
Ему на посадку
Зайти нелегко.
Летчик за кругом
Делает круг...
Ему самолет
И товарищ, и друг.
На взлетную полосу
Сел самолет,
Вперед пробежал —
И закончен полет.
Двери открылись,
Под трапом земля,
И пассажиров
Встречают друзья.

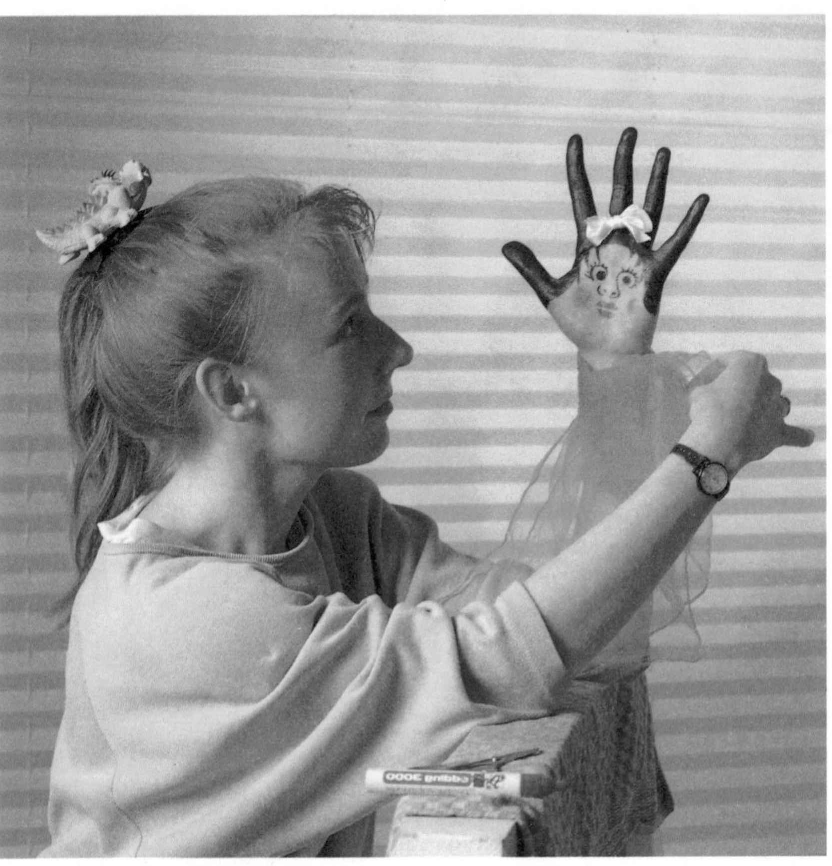

Изящная Дама готова, ей можно поручить роль в вашей пьесе.

Театр раскрашенных ладоней

Понадобятся:

- смывающиеся акварельные краски
- шарики от настольного тенниса
- заколки и украшения для волос
- разные ленты
- булавки
- кисточка для бритья
- кусочки бумаги, картона, плотной ткани, тюля и шелка
- салфетки
- клейкая лента
- мыло и старое полотенце

Сначала продумайте, какие животные или персонажи понадобятся вам для представления.

Например, очень подойдут зебра, слон или жираф. Чтобы изобразить некоторых животных, придется разрисовать и часть руки. Глаз можно нарисовать прямо на ладони, а можно взять шарик (от настольного тенниса или стеклянный) и во время представления зажать его в ладони, как показано на рисунке.

Руку можно быстро превратить в Изящную Даму. Если, например, нужно, чтобы у нее были черные волосы, покрасьте пальцы в черный цвет.

Завяжите вокруг пальца ленту из тюля или шелка и сделайте бантик. Лицо нарисуйте прямо на ладони. А для завершения образа Дамы повяжите ей на шею шарфик из лоскутка, закрепив его на своем запястье. Благородный Господин может получиться из разрисованного сжатого кулака. Цилиндр сделайте черным и белым цветом из круглого и прямоугольного кусков черного картона. Если еще на запястье пририсовать черный галстук-бабочку, рядом с Изящной Дамой Благородный Господин будет очень хорошо смотреться!

Старушку в платочке можно изобразить, повязав на сжатую в кулак руку косынку, сложенную по диагонали из квадрата ткани со стороной примерно 30 см. Лицо в морщинах нарисуйте на тыльной стороне ладони.

Когда у вас наберется немножко опыта в таких играх, вы, несомненно, сможете придумать еще немало персонажей для театра рук. Когда играешь, истории нередко сочиняются как бы сами собой. Для начала — одна небольшая пьеска. Вместо сцены годится стол, поставленный на бок. Спрятавшись за ним, можно разыграть представление.

Действующие лица:

- слон
- жираф
- зебра
- Благородный Господин
- Изящная Дама
- старушка

Акт первый

На сцене появляется Изящная Дама. Она говорит детям, что ей очень хочется пойти в зоопарк, но она не знает туда дороги. Появляется Благородный Господин, Дама спрашивает его, как пройти в зоопарк. Господин плохо слышит и не сразу понимает, что у него спрашивают. Дама громко кричит:

— *Сударь, как мне дойти до зоопарка?*

Господин отвечает:

— *Сударыня, к сожалению, я не знаю, почему развалилась арка.*

После нескольких недоразумений Дама все-таки умудряется объяснить Господину, о чем речь, и они вместе отправляются в зоопарк.

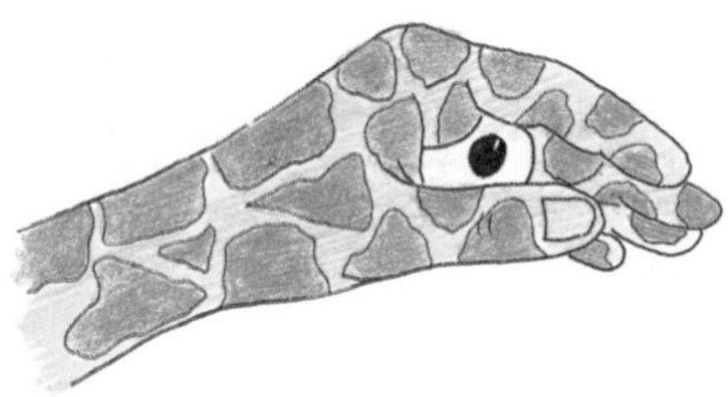

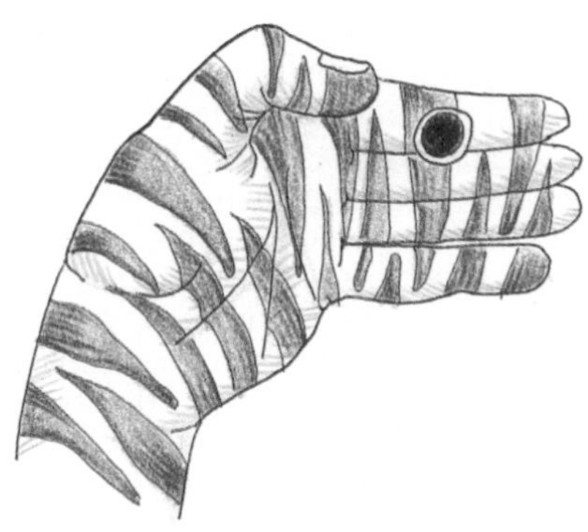

Акт второй

Появляется зебра. Она носится по сцене взад-вперед. Дама и Господин стоят у края сцены и рассматривают зебру. Они размышляют, почему полоски на ней кажутся им такими знакомыми. (Дети криками непременно подскажут какие-нибудь идеи.) Зебра исчезает. Вместо нее выходит слон. Поначалу оба посетителя зоопарка его не замечают, потому что они поворачиваются к нему спиной. Слон толкает Изящную Даму хоботом, она пугается, ищет защиты у Благородного Господина, и оба убегают.

Акт третий

Благородный Господин и Изящная Дама потерялись в зоопарке и не могут найти выхода. У дороги они видят старушку. Она говорит, что понимает язык зверей, и предлагает спросить, где выход, у жирафа: у него ведь самая длинная шея, ему далеко видно, и он может лучше всех показать самый короткий путь. Все трое (и конечно же, присутствующие дети) зовут жирафа, и он неожиданно появляется. Старушка разговаривает с ним на смешном языке, которого никто не понимает. Потом она переводит зрителям этот разговор. Дама и Господин благодарят старушку и приглашают ее отведать вместе с ними шоколадного торта.

Играем вместе, развивая фантазию

Игры для детей, придуманные детьми

Из многолетней практики общения с играющими детьми я поняла, что им больше всего нравятся такие игры, когда разрешается самим определять, как в них играть. Существует, к сожалению, очень много жестко регламентированных игр, которые почти не оставляют детям простора для развития фантазии и самостоятельности. К тому же большинство игр, автоматически поддерживая конкуренцию среди детей, способствуют их фиксированному, негибкому поведению во время игры. Ведь, в конце концов, каждый желает взять верх над остальными.

Однако во время игры не нужно постоянно поправлять детей и приучать их к дисциплине. Наоборот, они должны получить возможность развивать свою творческую фантазию и без принуждения раскрывать собственную сущность. На первом плане должно стоять удовольствие от игры, а не стремление быть лучше других детей. Взрослым порой нелегко проникнуть в мир детских фантазий, поэтому они нередко отвергают и высмеивают подобные игры как нереалистичные. Однако если вы хотите быть вместе с детьми, то должны постараться найти удовольствие в этой смеси реальности и фантазии. Вам нужно вновь научиться выдумывать. Ведь прежде чем вы сами научились говорить, вы тоже мыслили образами. Образное мышление и свободные ассоциации развивают у нас фантазию и силу воображения. Так мы находим путь к той части себя, которая иначе могла бы в нас совсем исчезнуть, потому что ее вытесняет и перекрывает интеллект. Нам нужно опять открыть в себе способность представлять что-либо с помощью образов. Может быть, тогда удастся заново открыть в себе самом и ребенка.

Во время многих игр, описанных в этой главе, детям рассказывают какую-нибудь приключенческую или же смешную историю. Дети разыгрывают ее, сопровождая подходящими движениями, шумами, выразительной мимикой и жестами. Руководитель игры должен рассказывать неспешно, с паузами, подсказывая детям возможные варианты движения, но только тогда, когда им самим ничего больше не приходит в голову: малыши все время должны получать возможность сами поучаствовать в создании рассказа.

В гостях у кошек-сладкоежек

Понадобятся:

- плитка шоколада и другие сласти
- сахарная глазурь

Все сидят на полу на корточках вокруг ведущего, который рассказывает такую историю.

Ночь. Темно. Мы с вами лежим в своих кроватях и спим. Вдруг раздаются шаги: топ, топ, топ... Мы слышим из-за двери кошачье мяуканье и прячемся под одеяла. Неожиданно дверь в комнату открывается. Входят две кошки. Они шепчут что-то на ухо каждому из нас...

При этих словах каждый шепчет на ухо своему соседу справа:

— *Эй, мы — кошки-сладкоежки. Хочешь пойти с нами в страну кошек-сладкоежек, мяу, мяу?*

Ведущий продолжает рассказ. Мы отвечаем:

— *Мяу, мяу, идем с вами.*

Все вслед за ведущим ползут по комнате на четвереньках. Ага, вот мы и подошли к вывеске из шоколада: «Страна кошек-сладкоежек» (для этого и понадобится глазурь). Отгрызаем уголок и ползем дальше. Тем временем ребенок, ползущий следом за ведущим, должен догадаться, какой же сладкий сюрприз сейчас его ожидает. Если угадал — ведущий достает это сладкое. Потом очередь следующего малыша — теперь угадывает он. И так далее. Если не получается, помогут остальные. Наконец ведущий заканчивает историю про кошек словами:

— *Кошки съели очень много сладкого! У них заболел живот, они устали и заснули.*

Прогулка по сладкому царству

Понадобятся:

- леденец
- соленые палочки
- стаканы с апельсиновым соком
- пирожные разных сортов
- марципан
- миска с пудингом
- ложка
- печенье
- плитка шоколада

Дети сидят кружком и слушают рассказ ведущего.
Вчера ночью мне снился чудесный сон. Мы с вами были в блаженной стране вкусностей.
(Дети стучат ладонями по бедрам.)
Сначала мы подошли к роскошному деревцу, на нем росли леденцы. И каждый сорвал себе по леденцу.
(Все встают и тянутся за леденцами.)
Мы сосем леденцы и идем дальше. И вдруг перед нами — мостик из соленых палочек.
(Каждый ребенок может взять себе по одной палочке, но осторожно, чтобы мостик не сломался.)

Мы осторожно переходим через мост, но он внезапно рушится — и мы падаем в реку. Вода в реке оказалась апельсиновым соком.

(Подражайте всем этим движениям: плывите, глотая при этом апельсиновый сок.)

Только мы очутились на спасительном берегу, как пошел дождь из маленьких конфеток и драже. Давайте соберем их и закопаем под пирожным-кустом. Те, у кого уже разболелся живот, легли отдохнуть на марципановый луг... Отдохнули? Идем дальше. Дорожка вывела нас к горе из пудинга. Придется проесть в ней себе дорогу. Уф! На другом склоне горы обнаружилась печеньевая пещера. Мы съели шоколадную дверь, заползли на корточках в пещеру и со страхом стали ощупывать путь в темноте.
И вдруг перед нами оказалось чудище из крошек! Оно охраняло пещеру. Сломя голову мы бросились прочь.

(Все разыгрывается в обратном порядке, но гораздо быстрее.)

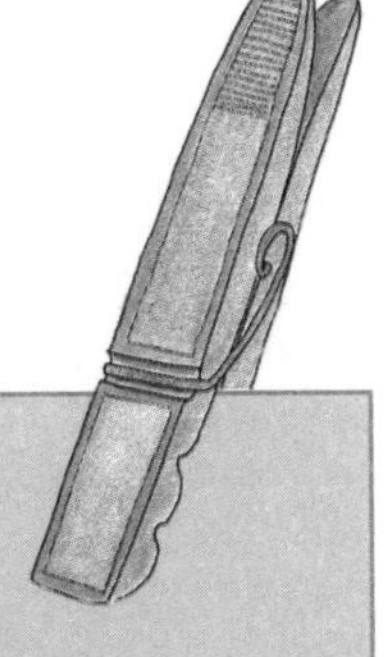

Советы родителям

В эту игру вполне можно играть и без настоящих вкусностей. Пусть дети представляют себе сладкое. Не стоит поощрять жадность к сладкому, слишком часто используя его в играх (и не нужно давать сладкое как награду за выигрыш!). Это полезно и для детских зубов.

Игра на различение цветов, или История о человеке в синей пижаме, который сел в зеленый трамвай

Понадобятся:

- разноцветные стеклянные шарики или кубики
- пустые стаканчики из-под йогурта

Дети сидят в кружке, посредине лежит кучка цветных шариков или кубиков. Ведущий рассказывает историю, связанную с разными красками. Например, если речь идет о покрасневшем лице человека, застеснявшегося перед пассажирами трамвая, дети поднимают вверх красный шарик. Разыскивая шарик нужного цвета, они помогают друг другу. Ведущему нужно вплести в свою историю быстрое чередование названий цветов. Рассказ должен быть интересным, чтобы отвлечь детей от названий цветов. Это усложняет задачу.

Вариант. Около каждого ребенка стоит пустая баночка или стаканчик. Когда называют какой-нибудь цвет, дети кладут туда шарик нужного цвета. В конце сравнивают, у кого что получилось.

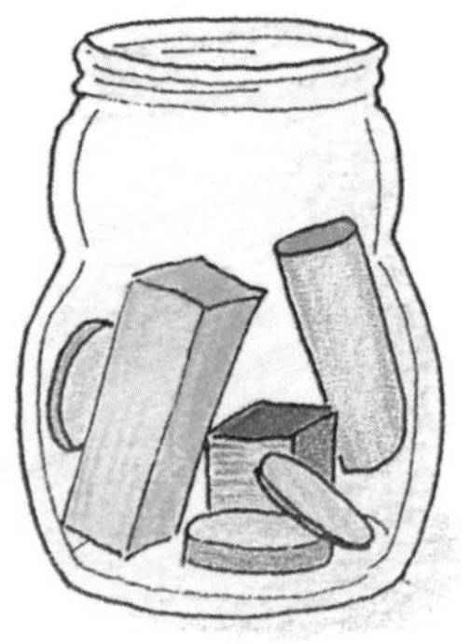

Ну где же колбаса?

Дети садятся в кружок на стулья. Вы рассказываете им смешную или очень интересную историю, в которой должно упоминаться как можно больше самых разных съедобных вещей. Как только в рассказе встречается какое-нибудь название еды, дети встают со стула, произносят: «Приятного аппетита!», поворачиваются вокруг себя и снова садятся, чтобы слушать дальше. Если такие слова следуют одно за другим, игра может получиться очень оживленной. Условия игры можно изменить. Скажем, дети, поднявшись со стула, могут каждый раз садиться на место соседа справа. А история может быть, например, такой:

Ох, как же у меня в животе урчит! Ужасно я проголодался. Где бы мне найти хлебца? Придется посмотреть в ванной. Ну и дела! Хлеб-то лежит в стиральной машине, рядом с картошкой. Но картошки мне что-то не хочется. Скорее уж торта... Только вот где он может быть? Так и знал! Лежит себе в пылесосе, только весь раскрошился. Ладно, тогда съем хлеб. Так. Перво-наперво надо найти масло. Поищу-ка в шкафу, в ящике со щетками и обувным кремом. Но его тут нет... Может, под мойкой, где веник лежит? Тут оно и лежит! Точно! Так, а где же мармелад? А-а-а, здесь, под швейной машиной. А вон на люстре ливерная колбаса качается. Полезу-ка на стул — надо ее достать. Ой, что это? Ножка стула с громким треском подломилась — и я очутился в миске с пудингом! Куда же подевался мой аппетит?

Подобные забавные истории можно рассказывать и о напитках. (Дети кричат: *«Ваше здоровье!»*; о сладком: *«Как вкусно!»*; о кислом или горьком: *«Брр!»*.)

Игра с жвачками в виде медвежат

Понадобятся:

- медвежата из жевательного мармелада

Дети сидят кружком на полу, руки за спиной. Перед каждым лежит жевательный медвежонок — так, чтобы его легко можно было достать. Ведущий рассказывает небольшую историю о Вуче, Ваче и Виче, трех жевательных медвежатах. Они идут в гости к Миле и Лиле — шоколадным мышатам. Историю надо рассказывать так интересно, чтобы дети целиком были ею захвачены и почти не обращали внимания на слова «жевательные медвежата». Если эти слова прозвучали, участники игры должны мгновенно отреагировать и поднять своего медвежонка вверх. В этот момент ведущий останавливается. Если ребенок случайно не поднял своего медвежонка, пусть он подарит его кому-нибудь другому, а игра продолжается. Подарок можно съесть, но всех остальных мишек нужно класть на место. Ведущий может рассказывать историю до тех пор, пока все дети не получат в подарок мишку.

У этой игры есть много *вариантов*. Например, перед детьми лежит по многу мишек. Или же медвежата лежат в центре круга, но их всегда на одного меньше, чем играющих детей. Тот, кому мишка не достанется, должен разочарованно бродить по комнате, изображая медведя. Такую игру можно организовать и учитывая цвет медвежонка. Если говорится «красный мишка», то дети быстро достают из большой миски в центре круга красного медвежонка. При слове «зеленый» — зеленого и т. д.

Шальные обезьяны в магазине игрушек

Понадобятся:

- пустые банки из-под пива или газированной воды
- рис, горох или фасоль либо мелкие камешки
- клейкая лента
- цветная бумага
- клей

Погремушки можно сделать очень быстро: вымыть и вытереть пустые банки, наполнить их камешками, рисом или бобовыми и закрыть клейкой лентой. Разукрашенные обрезками цветной бумаги, они смотрятся очень весело.

Можно рассказать такую историю. Посетитель входит в магазин игрушек и просит продавца показать ему разные заводные куклы, фигурки и зверей. Продавец заводит игрушки, и они движутся, пока завод не кончится.

Затем дети разыгрывают эту ситуацию. Одни изображают заводных игрушек — обезьян, лягушек и так далее. Другие — продавцов: у них в руках самодельные погремушки. Третьи — покупатели. Каждый ребенок-продавец должен показать покупателю свою игрушку. Когда продавец начинает греметь погремушкой, «игрушка» должна двигаться, а когда перестает, она останавливается. Больше всех безобразничают, конечно же, обезьяны, но и им приходится мгновенно застывать на месте, когда их «завод» кончается — то есть когда продавец перестает греметь погремушкой.

Продавцы называют цены и рассказывают о преимуществах своих игрушек, а покупатели в конце концов должны определить, что же они купят.

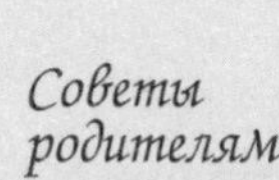

Советы родителям

Детям с неспокойной моторикой эта игра позволяет сыграть в группе важную роль. При этом они могут научиться сдерживать свою излишнюю подвижность и даже слегка уменьшить ее, так как в игре чередуются спокойное состояние и движение.

В ванне по морю

Понадобятся:

- по возможности большая пластиковая ванна
- толстые свитера
- стол, накрытый одеялом, — это будет пещера
- печенье, бутыль с какао, жвачки в виде медвежат

Взрослый рассказывает детям историю, и ее содержание сразу же сопровождают шум, соответствующие действия и прочее. Рассказ приблизительно такой:

Мы с вами все вместе сидим в ванне в открытом море. Солнце сияет, мы чувствуем на себе его горячие лучи. Тепло и приятно, мы дремлем, покачиваясь на волнах, а иногда прыгаем в воду, чтобы слегка остыть.
Но внезапно начинает темнеть, собирается буря. В ушах свистит холодный ветер. Мы одеваемся потеплее и, крепко взявшись за края ванны, стараемся упрямо противостоять непогоде. Наконец буря окончательно улеглась, наступила ночь, и мы, усталые и измотанные, засыпаем вповалку.

На следующее утро один из нас вдруг видит землю. Мы напряженно гребем к берегу и достигаем его через час, двигая веслами из последних сил. Похоже, это необитаемый остров. Мы осторожно сходим на берег и рассматриваем удивительные незнакомые растения. Их очень много, они крупнее и ярче тех, что растут у нас. Потом мы ложимся на песок и отдыхаем от всех треволнений.
Однако очень скоро мы почувствовали, что проголодались. Приходится искать, чего бы поесть. Вдруг один из нас находит пещеру. В ней морские разбойники — пираты спрятали свои запасы. Наконец-то мы пообедаем! Но не тут-то было. Эти ушлые пираты запрятали все припасы по отдельности. Опять нужно искать! В конце концов ребята находят печенье, бутыль какао и жвачку.

«Кватчамулипимпа». Игра в фантастический язык

Понадобится:
- ✽ по возможности кукла-бибабо или тростевая кукла

Дети должны представить себе волшебную страну и изобрести язык, на котором там разговаривают. Конечно, этого языка нет больше нигде в целом мире. Каким может быть этот язык, ведущий показывает на примере небольшой истории. Лучше всего во время рассказа думать о чем-то вполне определенном и сопровождать его жестами и мимикой. Важен также ритм речи и интонация. Ведущий может, к примеру, рассказать, что он съел и выпил что-нибудь вкусное, но потом у него заболел живот. Или как он искал свои очки, чтобы прочесть газету, или же что ему срочно понадобилось сходить в туалет, а он никак не мог его найти. Теперь ему нужно понаблюдать, кто из детей непроизвольно участвует в сочинении такого тарабарского языка. Именно к этому ребенку ведущий может обратиться с первым вопросом на новом языке, потому что вполне вероятно, что он сам ответит на вопрос и поможет остальным принять участие в разговоре. Чтобы создать непринужденную, веселую атмосферу, лучше взять куклу для кукольного театра, которая будет сопровождать рассказ действиями.

История про медведя

Понадобится:
- ✽ большое одеяло или большая простыня

Дети сидят все по одной стороне большого пустого помещения. На другой стороне, в своей «пещере», лежит медведь. Пещера получается из стола или нескольких стульев, накрытых одеялом.
Ведущий рассказывает историю про медведя, а дети воспроизводят соответствующие движения.

Толстый медведь лежал в своей берлоге и спал. Однажды ко входу в нее прибежали маленькие белочки. Они прыгали вокруг и кричали: «Медведь, медведь, выходи!» Как ни носились белочки вокруг берлоги, он спокойно продолжал спать. Но белочки во что бы то ни стало хотели его разбудить. Они скакали все выше и кричали все громче. Однако медведь все спит и спит, не шелохнувшись! Тогда белочки решили попробовать кое-что новенькое: они тихо-тихо подкрались поближе и громко постучали в свод пещеры. А потом снова закричали: «Медведь, медведь, выходи!» Наконец из берлоги показалась большая лохматая голова, а затем и весь медведь. Он потянулся, размял лапы, встряхнулся и стал так мощно зевать, что через пасть можно было заглянуть ему глубоко в глотку. Потом медведь ужасно зарычал и стал ловить белочек (конечно, детей). Они испугались и бросились врассыпную. Но медведь топает сзади! Белочки, которых он поймает, будут членами семьи медведя. И со временем все они очень полюбят друг друга.

Идем за покупками

Понадобятся:

- сумка хозяйственная
- кошелек с деньгами
- по возможности названные ниже продукты

И еще одна веселая игра, для которой мы рассказываем следующую историю. Многое из упомянутого реквизита найдется у вас дома. Но можно обойтись и без него.

Уже очень поздно. Скоро закроются все хорошие магазины. Мы быстро выбегаем из дому, чтобы успеть купить важные вещи. Бежим все быстрее, быстрее...
Наконец мы у пекаря. Хлеб, который мы хотим взять, лежит очень высоко на полке. Мы три раза подпрыгиваем как можно выше, пока наконец нам удается его достать.
Кладем хлеб в сумку и бежим дальше, к мяснику. Мы просим его дать нам сосиски и тоже кладем их в сумку. Но какая досада! Деньги где-то обронили! Приходится везде их искать. Кто-то (из детей) находит деньги, прыгает от радости и кричит: «Ура! Вот они, нашлись!» Все радуются вместе с ним. Мы платим за сосиски и быстро уходим из магазина, потому что нам нужно еще кое-что купить. Уже 17 часов 50 минут. До закрытия магазинов осталось десять минут.
В довершение всего начался дождь.
В одной руке у нас зонт, в другой — сумки с покупками. Мы бежим, огибая лужи. Времени осталось совсем мало. Когда же мы прибегаем к бакалейщику, он как раз собирается закрывать свою лавку и снимает ящики с овощами и фруктами с витрины. Мы перескакиваем через стоящие один на другом ящики, осторожно пробираемся вдоль полок с товарами к прилавку и говорим: «Не могли бы вы продать нам немного масла, сыра и молока?» И хотя бакалейщику хочется домой, он с нами очень вежлив и продает нам то, что мы попросили. Распевая песни, мы мчимся домой, потому что очень рады, что все успели. Теперь можно отдохнуть и спокойно поужинать.

В бурю команде надо потрудиться, чтобы корабль не перевернулся.

Корабль, попавший в шторм

Понадобится:

- мел или длинная веревка

Перед тем как начать рассказывать историю, нарисуйте мелом на полу очертания корабля. Если вы играете на ковре, силуэт корабля можно изобразить с помощью длинной веревки. Придется объяснить несколько морских терминов: *буг-нос* — передняя часть корабля, *корма* — хвостовая или задняя часть корабля, *бакборт* — правая сторона и *левый борт* — левая сторона корабля. Расскажите маленьким пассажирам, что судно попало в сильный шторм. Оно раскачивается туда-сюда, и только ваши усилия удержать равновесие позволяют ему держаться на плаву и не перевернуться. Поэтому по команде капитана дети-пассажиры должны быстро бежать к той стороне судна, на которую он укажет. Если кто-то подаст неправильную команду, его отправят в ссылку на необитаемый остров, а если кто-нибудь переступит черту — значит, он упал за борт и его нужно спасать.

Хаос на дороге

Понадобится:
- свисток

Разделите группу детей на водителей, велосипедистов, пешеходов и так далее. Скажите им, что во всем городе вышли из строя светофоры. Регулировщик управляет движением транспорта с помощью свистка и криков. Сначала все машины едут совершенно беспорядочно. Регулировщик свистит и командует, например: *«Всем повернуть налево!»* И все должны сразу же повернуть в нужную сторону. Если он командует: *«Туннель!»* — все идут на корточках. По команде *«Стоянка!»* все паркуют свои машины перед мотелем. Если регулировщик свистит долго, могут тронуться с места велосипедисты, а если коротко — начинают движение машины. Пешеходы спокойно ходят между машинами, если регулировщик не свистит. Если же он свистит, они должны стоять на месте.

История о жителях двух островов

Посреди моря лежали два острова. На одном жили мумплы — очень активный народ, а на другом шлямпли, которые так разленились, что совсем разучились двигаться. Мумплы каждое утро устраивали пробежку по берегу вокруг острова. Еду они добывали себе на деревьях: им приходилось высоко прыгать, чтобы достать бананы. Но мумплам было все нипочем — ведь они бодрый народец. После еды мумплы брали свои тележки (один ребенок становится тележкой и идет на руках, а другой держит его за ноги) *и собирали кокосовые орехи на обед. Потом они устраивали игру в чехарду: один мумпла перепрыгивал через другого. Затем, чтобы немного остыть, они проделывали элегантный прыжок в воду вниз головой и плавали круга два.*

Мумплы и шлямпли никогда друг друга не видели. Но однажды во время заплыва мумплы случайно попали на остров шлямплей. Расслабленные шлямпли нежились на солнышке и зевали. Некоторые из них были совсем больны — ведь они так мало двигались и почти ничего не ели. Бедняги были слишком ленивы даже для того, чтобы сорвать с дерева банан!

Мумплы показали шлямплям, как высоко они могут прыгать и быстро бегать, как нужно возить тележку, кувыркаться и играть в чехарду. Сначала шлямпли и думать не хотели о том, что все это у них получится, но постепенно поняли, что они отлично все могут сделать. Больше того, прежде шлямпли ни за что бы не поверили, что движение может доставлять им удовольствие.

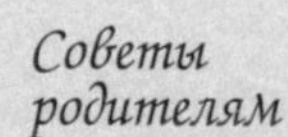

Советы родителям

Подобные истории помогут вам сочинять новые истории. Ведь в каждом из нас сидит рассказчик. Часто достаточно лишь начать, а дети уже сами продолжат выдумывать историю и с удовольствием подберут к ней подходящие движения.

О ковбоях и кухонных феях

Поем на придуманный мотив и играем:

Все индейцы пляшут,
Топая ногами.
Хала-бала! Хала-бала!
Куча мала!
Все ковбои скачут
На своих мустангах.
Хала-бала! Хала-бала!
Куча мала!
Монстры все летают,
Клоуны — хохочут.
Хала-бала! Хала-бала!
Куча мала!
Феи все на кухне
Горестно рыдают.
Хала-бала! Хала-бала!
Куча мала!

Для последней строфы текст придумайте сами. Если не хватает фантазии, строфы можно повторить сначала.

«Я — маленький Петрушка»

Во время этой игры все стоят.

Я — маленький Петрушка,
На ниточке повис.
Руками и ногами
Умею шевелить.
(Дети подражают движениям куклы-марионетки.)
Раз направо — хм-хм!
(Дети поднимают правую руку, на «хм-хм» раскрывают и сжимают ладонь.)
Раз налево — хм-хм!
(То же с левой рукой.)
Раз вверх — хм-хм!
(Протягивают обе руки вверх.)
Раз вниз — хм-хм!
(Шлепают обеими руками по полу.)
И разок — хлоп!
(Хлопают в ладоши.)
Каждый, кто желает,
За ниточку потянет.
(В одной руке у детей будто бы Петрушка, а в другой — ниточка от него.)
Раз направо!
Раз налево!
Ох, устала голова!
(Дети должны повесить голову.)
Раз направо!
Раз налево!
Надоела эта жизнь!

Веселая песня с движениями

Дети придумывают все движения, о которых идет речь в песенке. Поначалу эта игра может показаться вам монотонной, но именно из-за своей простоты она особенно нравится детям.

Если нравится тебе,
делай так!
Если нравится тебе,
делай так!
Если нравится тебе,
Покажи другим.
Если нравится тебе,
Так и делай!
Если нравится тебе,
делай так!
Если нравится тебе,
делай так!
Если нравится тебе,
Эту песенку пропой!
Если нравится тебе,
Пой вот так:
Ля-ля!

Можно петь, хлопать в ладоши, играть на музыкальных инструментах, на флейте, поворачиваться, раскачиваться, танцевать, падать.

«Слышите, как кашляют дождевые черви?»

Слышите, как кашляет
Дождевой червяк?
(Руки приставлены к ушам, чтобы лучше слышать.)
Он ползет сквозь черный,
Непроглядный мрак.
(Дети подражают кашлю.)
Как червяк старается,
Как он извивается!
(Руки вьются в воздухе.)
Вот червяк прополз, и —
Раз, два, три —
Стала почва рыхлой.
Скорей смотри!
(Дети как бы погружают руки, растопырив пальцы, в рыхлую землю.)

Будем надеяться, что медведь не перепугает всех своим ревом.

Песня о буром медведе

Дети становятся в кружок и держатся за руки. Трое детей в середине круга изображают танцующего медведя. Все поют, а танцующий медведь превращает текст в пантомиму. Дети ходят по кругу, в зависимости от строфы — вправо или влево. Если вы не можете придумать собственный мотив, можно использовать мелодию какой-нибудь известной песенки.

Жил в лесу медведь веселый,
Он любил потанцевать.
С ним плясали даже пчелы:
Раз, два, три, четыре, пять!
Наплясавшись, он садится,
Пчелы тащат мишке мед...
Мишка медом насладится —
И опять плясать идет.
Снова в танце закружился:
Раз, два, три, четыре, пять!
Он со всеми подружился:
Все ведь любят танцевать.

Песня и игра про Циппель-Цаппеля

Смотрите, люди, вот что я умею!
Я веселый Циппель-Цаппель,
Циппель-Цаппель,
Циппель-Цаппель!
Смотрите-ка (топает),
Что я могу (хлопает в ладоши).
Я веселый Циппель-Цаппель,
Циппель-Цаппель,
Циппель-Цаппель!
Смотрите-ка (шлепает себя по бокам),
Что я могу (хлопает в ладоши над головой).
Я веселый Циппель-Цаппель,
Циппель-Цаппель,
Циппель-Цаппель!
Смотрите-ка (топает правой ногой).
Что я могу (топает левой).
Я веселый Циппель-Цаппель...
и так далее.

По этой схеме можно придумать немало игр. Возможно, дети сами предложат, что еще должен уметь делать веселый Циппель-Цаппель.

Маленький индеец

Маленький индеец лежит в своей палатке и спит.
(Дети должны положить руки под голову и похрапеть.)
Вот он просыпается и потягивается.
(Пусть дети откроют глаза и протрут их.)
Теперь индеец задумывается, что бы ему такое сегодня сделать?
(Дети опираются лбом то на один палец, то на другой.)
Внезапно ему пришла в голову мысль.
(Поднимают указательный палец.)
Можно поохотиться на медведя!
(Палец изображает дуло ружья.)
Индеец распахивает свою палатку
(руки в стороны ладонями от себя)
и зовет своих друзей: «Индейцы! Идите скорей сюда!»
(Дети подносят руки ко рту рупором и громко кричат.)
Друзья прискакали галопом.
(Дети стучат ладонями по бедрам — получается звук, напоминающий топот лошадиных копыт.)
Маленький индеец рассказывает каждому о своем желании поохотиться.
(Изображающий индейца по очереди поворачивает голову к детям и шепчет им что-то невнятное на ухо.)
Друзья-индейцы издают громкий радостный клич.
(Клич всеобщей радости, при этом все слегка постукивают по рту ладонью. Получается стаккато — прерывистый звук.)
Затем все вместе отправляются в путь:
Они скачут по лугу
(дети трут ладошки друг о друга),
по мокрому лугу
(трут ладошки одна о другую и при этом очень-очень тихо произносят: «Фт-фт-фт-фт-фт...»)
и по мосту
(попеременно бьют кулаками себя в грудь),
потом по горе
(соединяют кончики пальцев и попеременно поднимают руки вверх)
и взбираются на дерево.
(Руки держат так, словно обхватывают дерево, а потом делают вид, что взбираются на него.)
Маленький индеец садится на сук и осматривает окрестности.
(Дети приставляют руку к глазам козырьком и всматриваются в даль — вперед, назад, вправо и влево.)
Налево медведя нет, направо нет, и вокруг ничего не видно!
(Опять то же движение.)
Показался здоровый и страшный медведь! Он хочет влезть на дерево и съесть мальчиков. О, вон где он!
(Показывают указательным пальцем направление.)
Скорее домой!
Спускаемся с дерева!
(Вся игра повторяется в обратном порядке, только гораздо быстрее.)

Игры с музыкой, песнями и ритмом

Малышам нравится мурлыкать мелодии и петь песни только в тех случаях, когда они могут при этом вволю пошуметь. Инструменты для ритмического сопровождения следующих песен вам нужно сделать самим. Взрослые должны активно помогать детям, моторика которых еще не очень хорошо развита.

Начните с **барабана**. Для этого вам понадобятся:

- пустая пластиковая банка с крышкой или старая кастрюля
- кусочки тканей
- ножницы
- краски или цветная бумага
- шнур или лента для упаковки подарков
- клейкая лента
- консервный нож
- алюминиевая фольга
- пластиковая скатерть
- тряпочка для мытья окон
- клей универсальный
- деревянные палочки, большая ложка, кисть и щетки

Сначала украсьте банку, разрисовав ее или оклеив яркими кусочками цветной бумаги. Крышку оклейте по возможности плотной тканью или фольгой. Прежде чем прикрепить ее к банке клейкой лентой, проткните консервным ножом дважды по два отверстия в верхней части банки, отступив от края примерно 5 см в 2 см одна от другой: здесь будет закреплен шнур, на котором можно носить барабан, повесив его на шею. Если вы обтянете банку куском старой кожи или клеенкой, звук получится другим. Ну а теперь дети сами решат, чем им больше нравится стучать по барабану: палочками, поварешками или пальцами. Годятся также старые кисточки и щетки.

Советы родителям

Дети, наученные тонко различать шумы, растут более музыкальными. Они довольно быстро понимают, насколько разными могут быть шумы. Ритм и темп музыки, пения или игры соотносится с чувствами и темпераментом ребенка. Музыка необходима для развития детей, через нее они себя выражают. Малыши часто превращают свое настроение в мелодию и делают это гораздо свободнее, чем взрослые. Они спонтанно движутся в музыкальном ритме и, играя на самодельных музыкальных инструментах, меньше стесняются, чем взрослые.

А мы умеем играть на любых инструментах!

Чтобы сделать **гитару**, вам потребуются:

- длинные резинки
- ящик или коробка из-под обуви
- острый нож

На коробку или ящик натяните побольше резинок и закрепите их. Можно также проделать дырку в картонной трубке, надрезав концы, закрепить и натянуть резинки.

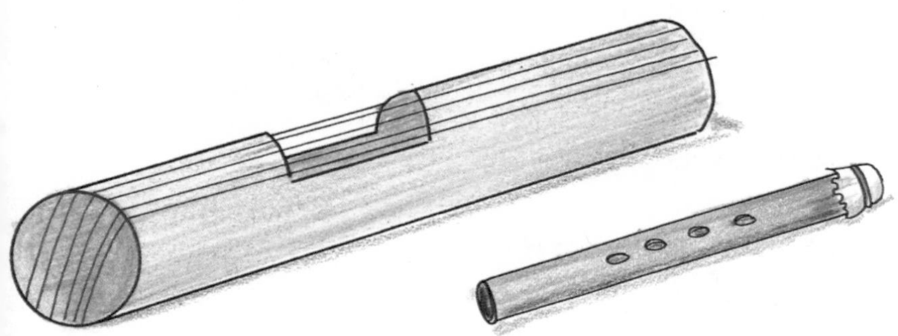

Вашей коллекции не помешает и **тамбурин** с крышечками от бутылок. Вам потребуются:

- консервный нож
- металлические крышечки от бутылок
- пуговицы
- нейлоновые нитки потолще
- крышка от большой пластиковой банки
- краски или цветная бумага
- клейкая лента

Проделайте консервным ножом дырочки в крышках от бутылок. Укрепите на коротких нейлоновых нитях примерно 20—30 таких крышек и пуговиц по краю банки (привяжите или приклейте скотчем).

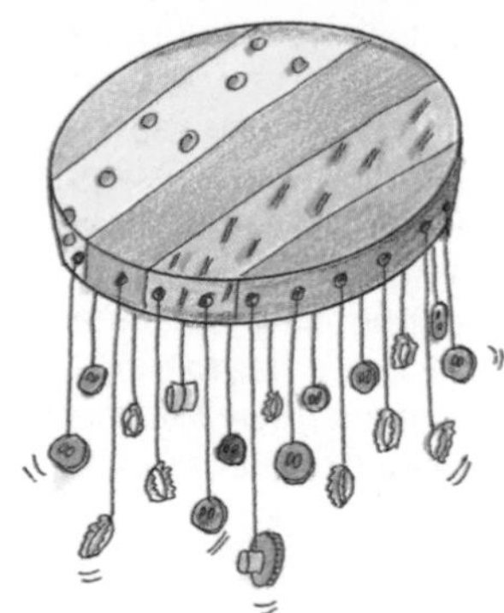

Крышку от банки распишите или оклейте цветной бумагой.

Для **флейты** вам понадобятся:

- трубочка из картона
- пергаментная бумага
- резиновое кольцо

Закройте один конец трубочки пергаментной бумагой и закрепите его резиночкой. Прорежьте на одной линии три или четыре дырочки.

Трещотки можно сделать многими способами. Возьмите:

- картонные трубочки
- стаканчики из-под йогурта
- банки из-под газированной воды или
- консервные банки

Наполните их:
- иголками
- горохом
- пуговицами
- камешками
- песком
- стеклянными шариками или
- бисером

Закройте банку с помощью:
- картона и скотча
- ткани и резиночки

Звук получается разным, в зависимости от того, чем заполнены стаканчики, банки или картонные трубочки. Это вам очень пригодится при инсценировке истории с тихими и громкими шумами. Но эффект надо опробовать заранее. Например, фасоль в картонной трубочке звучит иначе, чем в алюминиевой консервной банке.

Успеху вашего концерта очень может поспособствовать и **стеклянное пианино**. Для него вам понадобятся:

- много стаканов или бутылок
- чайная ложка

Стаканы или бутылки наполните водой на разную высоту. Если стукнуть по ним ложкой, звуки будут разные.

Из банок можно делать не только трещотки, но и **лютни**. Для лютни нужны:

- банки
- консервный нож
- крепкий и острый нож
- нейлоновый шнурок
- деревянный брусок (примерно 1 х 4 см, длиной 20—30 см)
- маленькая пила
- петля или крючок с резьбой на конце

Сначала вырежьте острым ножом в середине крышки банки дырку побольше. Вымойте банку. Надпилите деревянный брусочек до полови-

ны толщины, отступив от края 2—3 см, чтобы его можно было закрепить на банке. Петлю вверните в противоположный конец бруска. В центре дна банки проколите консервным ножом дырку, протащите снаружи шнур с узлом на конце, а другой конец вытряхните из верхней дырки и крепко привяжите к петле так, чтобы шнур натянулся. Особенно красивые звуки получаются, если поставить банку на пол и, придерживая ее ногами, дергать за шнур.

Можно еще сделать вариант **ксилофона**. Вам понадобятся:

- много разных металлических предметов: например, болты, вилки, ложки, ключи
- нейлоновые нитки
- вешалка-плечики
- ложка

Подвесьте металлические предметы на нитях к вешалке. Играют на ксилофоне с помощью ложки.

Отличные булькающие звуки получаются на **водяном органе**. Для этого нужны:

- стеклянная или металлическая трубочка
- пустая стеклянная банка

Наполните банку водой до половины и подуйте в трубочку.

Когда все инструменты готовы, можно заняться музыкой: ваш большой оркестр в состоянии поднять великолепный шум, аккомпанировать песням и создавать шумовые эффекты во время представлений. Чередование тихих и громких звуков добавляет напряжения.

А теперь — многочисленные идеи музыкальных и ритмических игр, в которых частично использованы и самодельные музыкальные инструменты.

О том, как медведь потерялся

Жил да был медведь. Он бродил по лесу.
(Медленно бьет барабан.)
Медведь не мог найти своей берлоги и очень устал. На берегу озера он прилег поспать. И вдруг услышал: буль-буль-буль...
(Звучит водяной орган.)

Кто бы это мог быть? Может, лягушка? Медведь не видел, потому что уже стемнело. Неподалеку пела одинокая птичка.
(Звучит флейта.)
Медведь заснул. Ему приснился прекрасный сон: он танцевал под тихую музыку на медвежьем празднике со своей женой-медведицей.
(Звучат стеклянное пианино, лютня и ксилофон.)
Однако музыка звучала все громче!
(Вступают тамбурин с крышечками, гитара.)
Медведи танцевали тарантеллу под зажигательную мелодию до тех пор, пока не устали. Тогда они пошли домой, в берлогу к своим детям. Медвежата весело играли перед входом в берлогу.
(Звучат трещотки.)
Эта громкая музыка разбудила медведя. Оказалось, к нему в гости пришли лесные звери.
(Играют все инструменты.)
Ведь у него был день рождения. А он совсем об этом забыл... Друзья принесли ему в подарок план леса, завернутый в зеленые листья. Берлога медведя была отмечена на плане красным кружочком. Теперь уж он не заблудится в лесу! Медведь был очень рад подарку.

Подобные истории можно придумывать самому, нужно только немного фантазии. При этом вы должны вплетать в рассказ партию соответствующих инструментов.

Дети получат еще больше удовольствия, двигаясь под песенки, которые можно разыгрывать, если при этом сами смогут устраивать ритмический шум. Для этого пришейте маленькие звоночки и колокольчики к старым тапочкам или к носкам.

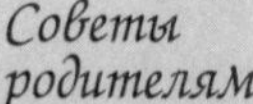

Советы родителям

Маленькие дети больше радуются игре, если она связана с мелодией и повторяющимся текстом. Они поют с удовольствием, но еще не очень хорошо могут запоминать новые тексты и новые мелодии. Проще всего петь любые придуманные тексты на мелодии известных детских песенок.

Бухта Щекотки

Дети становятся в два ряда друг против друга так, чтобы между ними был проход. Это и будет бухта Щекотки.

Расстояние между рядами должно быть таким, чтобы дети легко могли прикоснуться друг к другу. Один из детей должен пробраться через эту бухту, положив руки на бедра и двигаясь на цыпочках. При этом, разумеется, множество рук будет стараться помешать ему и станет его щекотать. Других правил у этой игры нет, как нет и результата или цели. Не важно, удастся или не удастся рассмешить ребенка щекоткой, вся прелесть игры заключена в ощущении, которое он испытает, пробираясь сквозь бухту Щекотки.

Щеки сильнее надуй,
Руки на бедра поставь,
Ловко на цыпочки встань,
В бухту Щекотки иди.
Рот поплотнее сожми:
Ведь рассмеяться нельзя!
Бухту придется пройти
Молча, без смеха и слез.

Припев:
Вот молодец! Вот молодец!
Бухта Щекотки тебе нипочем!

(Припев дети поют, когда один из них проходит через бухту Щекотки.)

Очередь будет твоя:
В бухте ведь ты не бывал!
Не побоишься идти
Через щекочущий вал?

Припев.

На следующей странице еще один вариант бухты Щекотки.

Тому, кто бежит через бухту Щекотки, нужно быть ко всему готовым.

Коридор смеха

Дети (и взрослые) становятся в два ряда напротив друг друга. Руки у всех спрятаны за спину. Один из участников игры пытается пробежать по коридору, не рассмеявшись. Остальные же изо всех сил стараются рассмешить его разными гримасами. Руки при этом остаются за спиной, разговаривать нельзя. Кому удастся пройти коридором смеха, не изменившись в лице, тот заслужил аплодисменты.

Для этих двух игр совсем не нужно много участников. В них хорошо играть и в семье. Папа, мама, тетя, дядя, дедушка, бабушка и дети становятся в круг. Они стараются заставить кого-нибудь рассмеяться за время, определенное заранее (можно с помощью таймера на кухне). При этом начисляются очки.

Петь и рисовать

Понадобятся:

- рулон обоев
- кисть
- разбавленная краска для стен

Дети стоят вокруг стола, на котором развернут рулон обоев, и рисуют жидкой краской на их обратной стороне. Ребенок набирает краски на кисть и делает на бумаге кляксу. А теперь нужно отгадать, на какого зверя она похожа. Это могут быть и фантастические создания. Процесс рисования сопровождается песней. Например, на мотив «Голубого вагона»:

Кисточка, кисточка!
Сделай кляксу мне...

Начинается угадывание. Дети, конечно же, могут еще попробовать отгадать, как этот зверь «поет», или даже попытаться подражать его голосу. Вполне можно ожидать, что это вызовет у малышей напряженный интерес.

Запомним цвета

Понадобятся:

- белая бумага
- краски и кисти
- картон
- клей
- самоклеющаяся пленка
- ножницы

Сложите пополам листок бумаги. Предложите детям посадить кляксу на одну половинку, снова сложите бумагу и разгладьте ее рукой, чтобы получилось зеркальное отражение кляксы. Если наклеить теперь эти парные «произведения искусства» на твердый картон, а сверху обтянуть прозрачной пленкой, получится «высокохудожественная» игра «меморина» (лото для развития памяти), в которую можно прекрасно поиграть.

Усердные художники

Понадобятся:

- большая белая бумага
- маленькое ведерко с краской
- кисть

Поем и рисуем.
Дети наносят разбавленную краску охристых оттенков на большой картон. Пока картинка не готова, они поют веселую песенку:

Живописцы, окуните ваши кисти!
Все идите на художников
смотреть!

Наконец принц нашел свою принцессу.

Принц ищет принцессу.
(Все подносят руку ко лбу, всматриваясь в даль.)
Он ищет ее здесь
(все смотрят направо),
Он ищет ее там
(все смотрят налево),
Он ищет ее повсюду!
(Смотрят во все стороны.)
Он ищет ее в Америке
(рука на затылке изображает перо индейца),
Он ищет ее в Африке
(растопыренные пальцы обеих рук на уровне пояса изображают юбочку из тростника),
Он ищет ее в Китае
(дети делают руками глаза-щелочки)
И все никак не найдет!

Наконец принц находит свою избранницу: он выбирает кого-то из детей.
Принц и принцесса важно шагают рука об руку внутри круга.

Принц ищет принцессу

Понадобятся:
- две короны из золотой бумаги (по возможности)

Желательно, чтобы в этой игре участвовало не меньше шести детей. Игра заключается в том, что принц выбирает себе принцессу. Он ищет ее повсюду. Где искать, указывают движения рук участников игры и подсказывает текст песни. Если же принцесса пытается найти своего принца, то игра называется «Принцесса ищет принца».
К тексту можно самим вместе с детьми придумать мелодию. Хорошо бы договориться заранее и до начала игры попробовать несколько раз пропеть мелодию без слов.

Принц принцессу нашел!
Он ее долго искал.
Искал он ее здесь,
Искал он ее там,
Искал он ее повсюду!
Искал он ее в Америке,
Искал он ее и в Африке,
Искал он ее в Китае —
И наконец нашел!

Советы родителям

Игры такого рода особенно нравятся маленьким детям. Больше всего они любят эффект повторения. Эти игры доставят самое большое удовольствие, когда играет группа детей.

Сто волков

Понадобятся:
- стулья

Неплохо, чтобы в этой игре участвовало больше восьми детей. Посадите их в кружок. Посередине поставьте четыре стула. Сиденья поверните к детям: это будет дом. Четверо детей, которые выразят желание быть жителями дома, садятся на стулья и поджидают, чтобы «сотня волков» (это, конечно, остальные дети) подкралась к их дому. Вы (можно вместе с детьми) поете песенку. В конце этой песенки есть слова, указывающие на то, что все четверо «жителей дома» должны покинуть свои стулья и убежать, иначе их могут схватить жадные и злые волки. Когда волки поймают всех, игра начинается заново.
Мелодию песенки можно подобрать любую, ту, которую все знают. Слова могут быть приблизительно такие:

Сто волков подкрались к дому,
Ой-ой-ой! Ой-ой-ой!
Они бродят и топочут:
Топ-топ-топ, топ-топ-топ!
Волки по двору шныряют:
Топ-топ-топ! Топ-топ-топ!
Маленьких детей хватают:
Хвать-хвать-хвать!
Хвать-хвать-хвать!
Следующим, следующим
Будешь ты!
Следующим, следующим
Будешь ты!

(Последнее слово выкрикивается как можно громче: это сигнал, по которому все бросаются бежать.)

Вариант. При желании вокруг дома могут «пастись» сто уток — они очень славные и совсем нестрашные, только громко крякают и хлопают крыльями.

«Буги-вуги» в джунглях

Дети выстраиваются в два ряда друг против друга, образуя очень узкий проход. Их руки и ноги будут изображать очень гибкие, извивающиеся лианы. Кто-нибудь из ребят добровольно вызывается быть тигром, крадущимся по джунглям. Основная задача этой игры — приспособить скорость движений детей под очень быстрый ритм песенки. Цель игры — помешать «тигру» пройти через «джунгли», то есть через проход между рядами детей. А «лианы» могут и «погладить тигра».
На мелодию «Танец утят» можно начинать:

Хумба, хумба, хуба, хэ.
Хумба, хумба, хуба, хэ.
Хумба, хумба, хуба, хэ.
Хумба, хумба, хуба, хэ.
Хумба, хумба, хуба, хэ.
Хумба, хумба, хуба, хэ.
Хумба, хумба, хуба, хэ-хэ-хэ-хэ-хэ!

(В этом месте «тигр» начинает движение.)

Идти тигру далеко,
Ему будет нелегко,
Он не пройдет! Хэ-хэ-хэ-хэ!
От нас, лиан, он не уйдет!

(«Лианы» танцуют.)

Буги в джунглях шубдиды,
Буги в джунглях — я и ты,
Буги в джунглях шубдиды, о-о-о-о-о!
Буги в джунглях шубдиды,
Буги в джунглях — я и ты,
Буги в джунглях шубдиды, о-о-о-о!

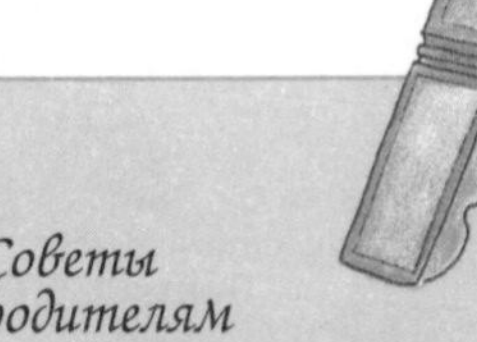

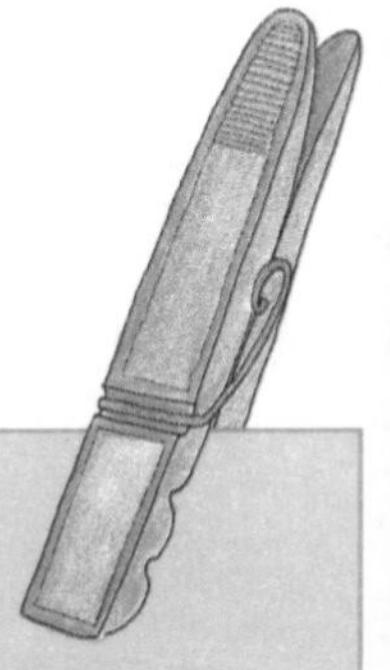

Советы родителям

Маленькие дети (да и не только маленькие) любят ритм, им нравится движение и все подвижное. Поэтому игры, похожие на эту, где сочетаются движение, мелодия и ритм, как раз то, что им нужно!

Песня о том, как корчить гримасы

В этой игре должно участвовать не меньше четырех ребятишек, тогда они будут в нее играть с огромным удовольствием. Дети стоят или ходят по кругу и корчат разные рожи. Каждый по очереди смотрит на каждого игрока. При этом тот, на кого смотрят и кому корчат рожу, должен угадать, что изображает гримаса (ребенок может изобразить любое животное, ведьму, Бабу Ягу, дракона и даже некое фантастическое существо). Все это должно отражаться в песне. Вариант: один из детей ходит внутри круга, а остальные угадывают, что за гримасу он изобразил.
На мотив «Жил-был у бабушки серенький козлик» можно петь такой текст:

Всем деткам нравится
Рожицы строить!
Всем деткам нравится
Рожицы строить!
Вот так, вот так,
Рожицы строить!
Их в этом деле никак не унять.

Пудинг-дрожалка

Был бы я пудингом, я бы затрясся,
Будто желейная скользкая масса...

Движения, о которых поется в песне, нужно делать в ритме, одновременно. Но не стоит точно определять, как именно это должно выглядеть. Наоборот, постарайтесь помочь детям двигаться непринужденно. Самое главное — сохраняйте ритм. На придуманную мелодию можно петь, к примеру, такой текст:

Был бы я пудингом, я бы качался,
На пол упал бы, лежал и брыкался,
Прыгнул бы вверх и попал в потолок,
На пол упал бы — совсем изнемог...

Мне бы сказали: «Тихо сиди».
Я бы ответил: «Меня не суди:
Пудинги могут руками дрожать,
Ухо чесать, животом колыхать.
Пудинги могут песенку спеть —
Только не могут тихо сидеть!»

Дети очень любят подурачиться и от души потрястись, как желе или пудинг. Поэтому предлагаем еще одну игру с настоящим пудингом. Кто в первой игре тряссся лучше всех, может принять участие в следующей.

Съесть пудинг с завязанными глазами

Понадобятся:
- полотенца
- две небольшие мисочки с пудингом
- чайные ложки

Двое детей садятся на стулья друг против друга с завязанными глазами. Затем им дают в одну руку по миске с пудингом, в другую по ложке. По команде они начинают кормить друг друга пудингом. Победит тот, чья миска скорее опустеет.

Игры с обычными предметами

Девизом этой главы могло бы быть:

«На матрасах и с подзорной трубой из рулона туалетной бумаги — в кругосветное плавание под парусами!»

Действительно, ведь вовсе не всегда нужно покупать новые дорогие игрушки, чтобы осмысленно занять чем-нибудь детей. Стоит только вам оглянуться в собственной квартире, и вы сразу найдете много такого, что может пригодиться в играх с детьми: обычные матрасы, простыни, одеяла, а может, и коробка с воздушными шариками и мячами...
Дети наверняка повеселятся, если их бабушка будет ползать по матрасу на четвереньках и изображать «королеву горы» или если дочь вместе с папой ласково попугает маму, забравшись к ней под одеяло. О дорогих игрушках дети тогда уж точно не вспомнят, и они останутся лежать на своих местах.

Матрасы — важнейший инвентарь квартиры или детского сада, ведь именно на них дети, как маленькие, так и большие, вволю могут наслаждаться движением и игрой. На матрасах можно прыгать, строить из них пещеры, коридорчики и даже целые квартиры — основу для многих фантастических игр. Подушки разных размеров тоже вполне годятся для игр, а старые надувные матрасы (особенно разделенные на три части) будут настоящей находкой.

Маленькая хитрость. Обычные старые простыни распишите поярче красками для ткани, а потом обтяните ими матрасы — так в комнате появится веселый уголок, в котором дети могут вволю побеситься и получить разрядку. Когда покрывала запачкаются, их легко снять и постирать в стиральной машине.

Король горы

Понадобятся:
- много матрасов
- по возможности самодельная корона из золотой бумаги или
- немного конфет

Матрасы кладут один на другой. По команде все дети стараются взобраться на матрасы. Кто заберется первым, становится «королем (или королевой) горы» и остается сидеть наверху. В следующий раз его сменяет другой «король (или королева) горы».
Чтобы дети не ушиблись сами и не ушибли друг друга, срываясь вниз, вокруг «горы» разложите подушки. Если перед началом игры положить на верхний матрас золотую корону, то короля (или королеву) можно будет короновать по-настоящему. А можно рассыпать на верхнем матрасе конфеты — тогда «короля» наверху будет ждать сладкий сюрприз.

Матрасный остров

Понадобится:
- матрас

В центр комнаты положите матрас — это будет остров. Все игроки поплывут вокруг острова в «море», изображая потерпевших кораблекрушение. Их цель — спастись, выбравшись на остров. Дети делают движения, как при плавании. Внезапно раздается звук, похожий на корабельную сирену (кто-нибудь может, например, подуть в пустую бутылку). По этому сигналу все прыгают на матрас. Кому места не хватило, выбывает из игры. Тот, кто успел «спастись» на острове, поет веселую песенку (любую).

Матрасная граница

Понадобится
- много матрасов

Дети строят из поставленных боком матрасов подобие границы между двумя странами. В каждой стране живет половина играющих детей. Они садятся на корточки, чтобы чужаки не могли их видеть за стенкой из матрасов. Одна группа придумывает «пограничные задания» для другой, например: *«Вы можете прийти к нам через границу, если угадаете, чья это рука или нога».* При этом задании рука или нога высовывается через матрас-границу.

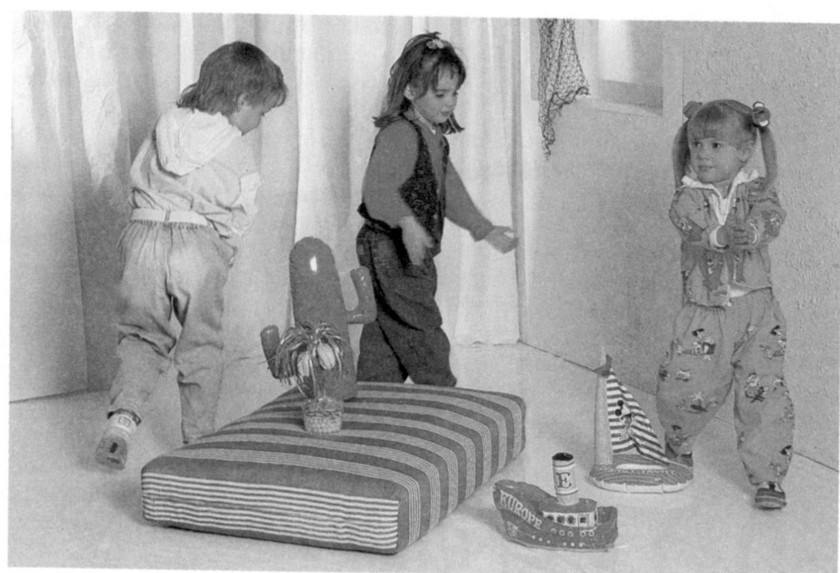

Доберутся ли потерпевшие кораблекрушение до спасительного острова?

Матрасная пещера

Понадобятся:

- много матрасов
- радиоприемник
- что-нибудь погрызть (печенье, палочки, сушки, чипсы)
- игра
- бумага и фломастеры
- напитки
- стаканчики
- книжка с картинками
- фонарик

Дети строят из матрасов пещеру и устраивают все внутри очень уютно. Они могут взять, например, радиоприемник, что-нибудь пожевать, какую-нибудь игру, бумагу с карандашами, напитки и стаканчики, книжку с картинками, фонарик. Взрослым вход позволен только с разрешения жителей пещеры!

Можно спросить: *«Чьи это волосы?», «Чей носовой платок?».*
Оба «народа» выдумывают себе характерные для своей страны «нравы» и «обычаи». Соседи должны их уважать. Страну, например, «мозгляков» жители страны «пискунов» могут посетить только по специальному приглашению. И конечно, наоборот, можно по приглашению нанести ответный визит. Жители одной из «стран» могут потребовать от иностранца при переходе границы спеть какую-нибудь песню. Дети по одну сторону матраса могут, кроме того, обучать тех, кто по другую сторону, языку своей страны, спеть им свою любимую «национальную» песню или пригласить их на типичную еду или характерный для нации напиток.

Бег с препятствиями к острову

Понадобятся:

- газеты
- подставочки под пивные стаканы
- подушки
- рулоны туалетной бумаги
- по возможности платок для завязывания глаз

В комнате лежит матрас, который изображает остров. Со стартовой черты дети стараются как можно скорее добежать до острова. При этом им приходится огибать многочисленные препятствия, перепрыгивая или перешагивая через них и по возможности не прикасаясь к ним. Препятствиями могут быть перечисленные выше предметы. Можно прокладывать себе путь к острову и с завязанными глазами.

На домашнем столе

Понадобятся:

- стол
- предметы домашнего обихода, которые определят сами дети во время игры

В этой игре должно участвовать не меньше четырех ребятишек. Разделите их на две команды. Двое детей из разных команд выходят вперед. Дайте им одно и то же задание: принести и поставить на стол те предметы, которые назовут участники игры. Например: *«На домашнем столе должна стоять ваза или стаканчик для чистки зубов»* или *«На домашнем столе должен лежать левый ботинок моего дедушки»* (конечно, дедушка должен быть с чувством юмора и понимать шутки). Кто первым принесет названный предмет на стол, зарабатывает очко для своей команды. Выигрывает тот, у кого в конце окажется больше очков. Вещи, которые каждая команда предлагает найти и принести, по возможности должны быть в квартире. Если в игре участвуют взрослые, задания можно давать и потруднее. Вполне вероятно, что в игру удастся втянуть и дружественных соседей по дому или по даче.

«Обувной салат»

Понадобятся:

- много пар обуви, по возможности домашние тапочки
- полотенца

Дети садятся в кружок или за столом, накрытым бумагой или клеенкой. Каждый кладет ботинок либо тапочек, который он заранее хорошенько пощупал со всех сторон, на середину стола. А затем все должны по очереди с завязанными глазами вытащить свой ботинок или тапочек из «обувного салата». Как вариант игры можно, конечно, подбирать и пару к своей обувке. С успехом ощупав все ботинки, можно отважиться перейти и к другим предметам:

- девять больших картонных квадратов
- самые разные домашние вещи

Девять картонных квадратов используем как игровое поле, положив их на середину стола так, чтобы всем было хорошо видно. Если народу много, нужно сделать два поля. Теперь в каждый квадрат вам нужно класть какой-нибудь предмет, каждый раз другой. Затем каждый ребенок получает мешочек с разными предметами, причем хотя бы один предмет в мешочке должен совпадать с одним из разложенных на игровом поле. И конечно же, все предметы, разложенные на столе, должны появиться в каком-нибудь из мешочков в полном составе. Вы должны условиться, какой предмет нужно найти. Дети ощупывают содержимое своих мешочков. Найдя нужный предмет, они кладут его на квадрат в середине стола. И так далее — на все остальные квадраты.

Научившись определять предметы на ощупь, поиграйте еще и в другие игры на ощупывание (см. далее).

Волшебная шкатулка

Понадобятся:
- картонка или коробка из-под обуви
- разные предметы, от мелких до средних

В стенках картонной коробки с узкой стороны проделайте отверстия так, чтобы в них пролезли детские руки. В коробку положите какой-нибудь предмет, известный детям. Ребенок должен его ощупать и отгадать, что это такое. Для следующего игрока нужно положить в коробку уже новый предмет.

Память пальцев

Понадобятся:
- материалы, разные на ощупь (например, наждачная бумага, бархат, шелк, дерево, пенопласт, губка или проволочка для мытья посуды)
- крепкий картон
- ножницы
- клей универсальный
- полотенца

Приклейте по два кусочка от каждого вида материалов на картонные квадраты размером 10 х 10 см. Разложите квадраты по столу. Пусть каждый игрок с завязанными глазами проведет по квадратам пальцами и ладонями. Кто соберет больше всего пар, станет победителем.

Воздушные шарики — очень подходящая игрушка для малышей. Они легкие, яркие, и из них много чего можно сделать. Недостаток у них только один — они легко лопаются, причем с громким треском. Некоторые дети этого боятся. Этот страх следует принимать всерьез и, бережно обходясь с детьми, осторожно приучать их к обращению с воздушными шариками — так, чтобы страх постепенно пропал.
Из воздушных шариков можно легко и очень быстро «наколдовать» ярких зверей: нарисуйте на них глаза, рот, нос, приклейте клейкой лентой на тканевой основе уши из бумаги или картона. Вы можете заставить эти яркие существа двигаться в воздухе под веселую мелодию. Однажды привыкнув к воздушным шарикам, дети порой играют в них не переставая. Значит, время начинать нашу первую игру.

У кого красный шарик?

Понадобятся:
- много разных воздушных шариков и один красный
- радиоприемник или проигрыватель

У каждого ребенка в руках шарик, который он заставляет двигаться под музыку. Когда музыка перестает играть, дети меняются шариками. Музыка начинается снова, и дети играют новыми шариками. Обмен шариками и игра с ними повторяются несколько раз, пока музыка вновь не останавливается. Ведущий спрашивает: «У кого красный шарик?» Тот, к кому это относится, сразу должен сесть. Однако играть он продолжает. Перед каждым туром игры теперь убирают один шарик, но только не красный. Шариков становится все меньше. Кому в последнем туре удастся выиграть оставшийся красный шарик, тот считается победителем.

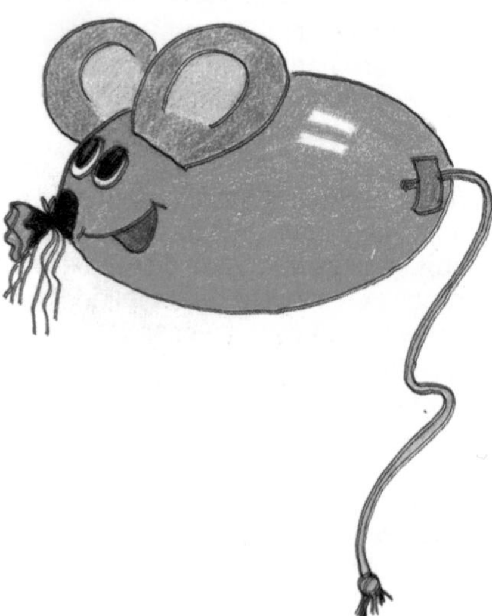

Яркие воздушные шарики дают возможность устроить великолепные игры.

Танец с воздушным шариком

Понадобятся:

- воздушный шарик
- радиоприемник или проигрыватель

Дети стоят по двое, у каждой пары есть воздушный шарик. Держат они его головами. Руки при этом за спиной. Дети движутся под музыку. Шарик, конечно, не должен выскользнуть и упасть. Если это произойдет, пара выбывает из игры.
Если вы захотите немного изменить игру, шарик можно придерживать и животами.

А в следующей игре лучше принимать участие детям, которые не боятся лопающихся шариков.

Буйная голова

Понадобятся:

- воздушные шарики, из них по нескольку одного цвета

В игре участвует столько же шариков, сколько и детей. Все бегают по комнате и бросают друг другу шарики. Неожиданно ведущий кричит, к примеру: «Буйная голова — три!» По этому сигналу три игрока с шариками одного цвета должны собраться вместе и образовать группу. Если ведущий объявит: «Буйная голова — пять!» — то собирается группа из пяти человек и так далее. Все, кто останется вне групп, к сожалению, выбывают из игры.

После этой напряженной игры перейдем к спокойной.

Эстафета с воздушными шариками

Понадобятся:
- воздушные шарики
- стулья

В этой игре должно участвовать столько детей, чтобы из них можно было организовать две команды. Каждый ребенок получает шарик, который он надувает и завязывает. Поставьте два ряда стульев. Посадите игроков одной команды друг за другом. Перед каждым рядом должен стоять пустой стул. По команде ведущего игроки, сидящие на первых стульях, встают, кладут на сиденья пустых стульев шарики и скачут на них до тех пор, пока они не лопнут. Если шарики все время соскальзывают, их можно придержать руками. В это время остальные дети подвигаются на одно место вперед. Как только раздастся хлопок лопнувшего шарика, следующий игрок из этого ряда садится на этот стул и давит свой шарик. «Давильщиков», конечно, горячо поддерживает их команда. Выигрывает та команда, у которой раньше лопнут все шарики.

А следующая игра опять поспокойнее.

Скачут зайцы

Понадобятся:
- воздушные шарики
- радиоприемник или проигрыватель

Звучит музыка. Ведущий объявляет, например: «А теперь зажмите шарик ногами и прыгайте как зайцы!» Он выжидает немного, музыка продолжает играть. Затем ведущий останавливает музыку и говорит, к примеру: «А теперь возьмем шарик ртом — там, где узелок, и бежим спиной вперед!»
С шариками дети могут проделывать самые разные выкрутасы: скакать, бегать, прыгать, бросать. При этом важно, чтобы звучала музыка, которую дети слушали бы с удовольствием и которая побуждала бы их к действию.

Совет. Существуют специальные музыкальные произведения для детей, которые музыкальными средствами изображают цирк зверей, а есть даже пластинки с голосами разных животных. Дети, послушав, могли бы подражать не только движениям, но и голосам животных. С шариками это получится очень весело!

Змея из воздушных шариков

Понадобятся:
- воздушные шарики
- веревочка

Привяжите к одной веревочке на некотором расстоянии друг от друга много шариков. Получится длинная «змея». Один из детей должен тянуть эту змею за собой, а все остальные в это время — стараться ее погубить. Будет еще интереснее, если дети разделятся на две команды.
Каждый имеет право побыть «змеиной головой» и протащить змею из шариков сквозь строй охотников. Члены одной команды будут изображать защитников змеи: они должны постараться не дать детям из другой команды — охотников — заставлять шарики лопаться. Роли распределяются в начале игры: охотники, защитники-спасатели и голова змеи.

Для следующих игр вам понадобится упаковочная пленка.
Сочетая эту пленку с воздушными шариками, можно организовать чудесные игры.

Порой совсем не легко подбросить шарик и снова поймать его.

Дуем на шарики

Понадобятся:
- воздушные шарики разного цвета
- веревка

Веревка отмечает финишную линию. Дети отходят от нее на несколько метров и садятся на корточки. Каждый участник получает воздушный шарик, который он по сигналу «Старт!» гонит перед собой к финишу, дуя на него.
Победит тот, чей шарик первым пересечет финишную линию.

Следующую игру можно было бы проводить не с пленкой, а с настоящим парашютом, но он под рукой, пожалуй, далеко не у каждого.

Летящие шарики

Понадобятся:
- воздушные шарики
- пленка

Надутые шарики положите на пленку, которую дети должны крепко держать. Пусть они все вместе осторожно перемещают пленку вверх-вниз, постепенно ускоряя темп. Шарики должны подлетать как можно выше. В этой игре дети учатся координировать свои движения с движениями остальных и всем вместе добиваться одного темпа.

Постель из воздушных шариков

Понадобятся:
- пленка
- воздушные шарики

Надуйте как можно больше шариков, завяжите их и положите как можно плотнее друг к другу под пленку. При этом следите, чтобы шарики не выскальзывали из-под пленки с краев. А теперь дети по одному могут осторожно лечь сверху. Восхитительное чувство! Кроме того, удивительное ощущение вызывает и то, что шарики, оказывается, не лопаются — разве что совсем изредка.

«Алло, господин комиссар!»

Понадобятся:
- разная одежда (шляпа, тапочки, майки и т. д.)
- банка или коробка

Ребенок, которому хочется сыграть комиссара, выходит из комнаты. Тем временем один из детей прячет у себя что-нибудь из одежды, например шляпу или футболку. «Комиссар» возвращается в комнату и начинает искать следы. При этом в руке он держит коробку или банку: это машина для поиска воров. Остальные дети поют:

Господин комиссар, скоро
Вы поймаете вора?
Господин комиссар, у нас обед!
Вы уже напали на след?

Кто совершил преступление —
Есть у вас подозрение?
Кто же нас обманул?
Кто вещички стянул?

Комиссар отвечает:

Следите за мной внимательно!
Я работаю тщательно!
Машина моя запищит —
Воришка заверещит!
Хотите пари, на спор?
Я выясню, кто здесь вор! —

и так далее.

Когда «комиссар» решит, что он нашел вора, поисковая машина (да что там говорить — конечно же, сам комиссар) издает писк.

Очень хорошо можно поиграть с простынями и одеялами. Далее предлагаем варианты подобных игр.

Чтобы создать настроение, споем песню и полетаем по комнате, закутавшись в простыни, как призраки, чудища или феи.

Сегодня ночью призрака я видел,
А было около двенадцати часов.
А было около двенадцати часов.
(Повторы надо петь немного потише.)
Под потолок взлетел он тихо-тихо,
Спустился на пол, вздрогнул и исчез.
Спустился на пол, вздрогнул и исчез.

Сегодня ночью видел я скелет,
Гремел цепями он и скрежетал зубами.
Гремел цепями он и скрежетал зубами.
Куда деваться мне? Спасенья нет!
И я залез под одеяло к маме.
И я залез под одеяло к маме.

Припев:
А потом я скелету язык показал,
Испугался скелет и скорей убежал.
А потом я скелету язык показал.
Испугался скелет и скорей убежал!
Я и глазом моргнуть не успел, а он
Подхватил свои цепи и выбежал вон.

Сегодня ночью видел монстра я,
А было около двенадцати часов.
А было около двенадцати часов.
Пыхтел и топал он,
сверкая синим глазом,
Хотел закрыть все двери на засов!
Хотел закрыть все двери на засов!

Он был противный, толстый и
большой,
Он шел улечься на мою кровать.
Он шел улечься на мою кровать.
Куда же делся громкий голос мой?
Я смог лишь «мама!» тихо
прошептать.
Я смог лишь «мама!» тихо
прошептать.

Припев:
И тогда-то я монстру язык показал!
Испугался мой монстр и скорей
убежал...
И тогда-то я монстру язык показал!
Испугался мой монстр и скорей
убежал...
Я и глазом моргнуть не успел, а он
С громким топотом выбежал вон!

Конечно, нет нужды воспевать одни только страсти и ужасы, можно спеть и о фее, например:

Сегодня ночью фею видел я,
Такую добрую, красивую, как мама.
Такую добрую, красивую, как мама.
Она походкой легкой быстро шла
С улыбкой нежною к моей кровати
прямо.

Она была волшебницей из сна,
Как лепесток, прекрасна и воздушна.
Как лепесток, прекрасна и воздушна.
Ко мне неслышно подошла она,
И я к ней руки протянул послушно.

Одеяла и простыни годятся не только для игры в призраков, монстров и фей. Из них можно строить пещеры, можно, взявшись за уголки, подбрасывать на них воздушные шарики. Особенно здорово положить маленькие подушки и мячи рядком на простыню, закатать их и все это разделить веревкой на небольшие отрезки — получится отличная змея, не хватает только глаз и рта...
Много чего еще можно придумать!

Удастся ли второй команде поймать цветной кубик?

Батут из простыней

Понадобятся:
- две простыни
- легкие предметы, например подушки, мячи, воздушные шарики или плюшевые игрушки

Играющие делятся на две равные группы, и каждая группа берет в руки по простыне. Дети крепко натягивают края своих простынок. Игра заключается в том, чтобы, ловко двигая простыни вверх-вниз, подбрасывать перечисленные предметы и перебрасывать их от одной команды к другой. Лучше всего получается это, когда команды детей с простынями становятся рядом. И конечно же, при этом им приходится согласовывать свои движения, приспосабливаясь друг к другу.

Простыни дают много возможностей и для постройки пещер. Но здесь нередко возникают слезы, потому что такие пещеры легко обваливаются. Впрочем, если постараться, можно построить и не обваливающуюся пещеру.

«Пестрая вилла»

Понадобятся:
- несколько старых простыней
- ножницы
- если возможно, швейная машина
- квадратный или прямоугольный стол
- остатки тканей
- булавки
- ленты
- краски для росписи ткани

Сшейте из простыней накидку, которой можно полностью закрыть стол. Чтобы внутрь попадало немного света, вырежьте несколько окон. Если есть желание, можно сшить и маленькие занавески — так, во всяком случае, будет уютнее. Занавески к окнам можно приколоть булавками. Теперь недостает только двери. Вырежьте дверь так, чтобы ее потом можно было закатать и поднять кверху. Если изнутри над дверью в двух местах

На «Пестрой вилле», сшитой из старых простыней и сооруженной из стола, жизнь очень комфортная.

Коробка с мячами

Понадобится:
- ящик или коробка с мячами

В ящик или картонную коробку положите много ярких мячей. Бросайте мячи в разных направлениях, и пусть дети приносят их обратно. Кто соберет больше всех мячей?

Целимся в ведро

Понадобятся:
- мячи
- два ведра или другие емкости
- веревка или мел

Поставьте два ведра или другие большие емкости. Пусть дети стараются забросить мячи в ведра от черты, отмеченной веревкой или мелом. Кто самый меткий?

укрепить по две ленты, то закатанную дверь можно будет подвязывать. А можно вырезать простыню так, чтобы дверь получилась, как в обычном доме. Тогда, чтобы эту дверь можно было закрыть, надо прикрепить в ее углу и на стене дома по ленте (и еще — на уровне дверной ручки). Теперь осталось лишь симпатично разрисовать все красками для ткани, и наша «Пестрая вилла» готова. А не пустить ли вокруг дома ползать змею? Если остались остатки простынь, сшейте из них рукав и ярко раскрасьте его — вот и змея...
С мячами тоже можно придумывать отличные игры.

Что нам приходит в голову на солнце?

Понадобится:
- желтый мяч

Дети садятся в кружок. Один из них берет мяч и говорит: *«Кому что-нибудь приходит в голову при слове “солнце”?»* Кто-то из детей отвечает, например: *«Солнечное молоко!»* — и ему сейчас же бросают мяч. Теперь тот, кто поймал мяч, задает этот же вопрос — и все повторяется. Мяч летает туда-сюда до тех пор, пока дети уже ничего не смогут придумать. Тогда следует новый вопрос, например: *«Кому что-нибудь приходит в голову при слове “мороженое”?»* Вариантов много: вода, дети, жара…

Попади мячом

Понадобятся:
- мяч
- корзина для бумаги или ведро

Дети сидят кружком. В середине стоит корзина для бумаги или ведро. Один из участников игры бросает туда мяч и называет имя другого игрока. Тот быстро достает мяч из корзины и целится им в бросавшего. Если он попадет, то сам будет бросать мяч в корзину.

«Цап-царап!»

Понадобятся:
- мяч
- стулья

Дети сидят на стульях в кружок. Для этой игры нужно знать имена своих соседей справа и слева. Поэтому перед началом для проверки убедитесь, что дети знают, как кого зовут. В центре стоит ребенок с мячом и бросает его одному из игроков. Если бросающий при этом кричит *«цап!»*, то ловящий мяч должен назвать имя своего соседа слева. Если же при броске прозвучало *«царап!»*, нужно назвать имя соседа справа. Кто ошибется, занимает место в центре, сменяя прежнего ведущего. Когда бросать надоест, нужно положить мяч на землю и сказать: *«Цап-царап!»* Тогда все тотчас же должны поменяться местами, а тот, кто в центре, — быстро найти себе стул. Так как в центре стула нет, всегда один ребенок остается стоять. Он получает мяч, и игра продолжается.

Игры с водой

От этой главы особое удовольствие получат «водяные» и «русалки». Водная стихия приводит детей в восторг.

Посадите ноющего ребенка в ванну, полную водой, дайте ему парочку пустых бутылок из-под шампуня, пластиковые стаканчики, маленькие махровые полотенца, губки и прочие причиндалы — и тогда вы насладитесь полным покоем, а в это время в ванной отважный капитан будет с удовольствием плескаться в бурных водах открытого моря.

В ванне, из шланга, под дождем, из бутылки для брызганья — в любом виде малыши любят воду. Только совсем лишенные чувства юмора родители и воспитатели заставляют своих чад сидеть «на сухом пайке» и встречают их упреками вроде: «Опять ты весь мокрый!» Ведь промокшие брючки высохнут так быстро! Во всяком случае, игры с водой нужно разрешать там, где вам не помешает мокрый пол, а еще лучше — играть прямо на улице.

Доставим воду на тачке!

Понадобятся:

- ведра
- по пластиковому стаканчику на команду
- водяной пистолет (не обязательно)
- часы
- линейка

В этой игре необходимо участие не меньше шестерых детей.

Разбейте детей на команды, по трое в каждой. На старте должно стоять по ведру воды для команды, а на финише, удаленном на 3—5 м, — пустые ведра. В зависимости от возраста детей расстояние увеличивают или уменьшают. Два ребенка из команды делают «тачку»: один опирается руками на пол, другой берет его за ноги и поднимает их. Третий член команды наполняет стаканчик водой из ведра и ставит его на «тачку». После команды «Старт!» (это может быть, например, выстрел из водяного пистолета) вода в стаканчике должна быть доставлена на тачке (то есть на спине ребенка) к пустому ведру. Когда руки «тачки» пересекут линию финиша, третий игрок команды должен вылить стаканчик в пустое ведро. Вся команда бежит назад, к линии старта. Время, за которое вода должна быть доставлена в пустое ведро, нужно установить заранее. Линейкой можно измерить, какая из команд набрала больше воды, — конечно же, она и выиграла. Призом может стать уточка-пищалка или поход в бассейн сегодня же вечером.

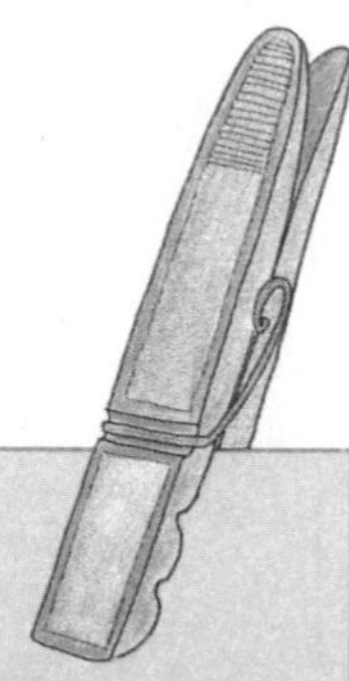

Советы родителям

Чтобы избежать споров и ссор среди детей, следите за сменой ролей при каждом заезде. Кроме того, лучше заранее договориться, как вести себя, если стаканчик упадет. Для малышей будет лучше, если третий игрок сбегает к ведру и принесет новый полный стакан, а старшие дети могут начать поездку с тачкой сначала.

Следующая игра тоже «мокрая». Здесь тоже надо доставлять воду, только иначе: на этот раз дети будут носить воду во рту.

Здесь нужно набрать в рот воды побольше и потом выплюнуть ее в желтое ведро.

Выплюнь воду

Понадобятся:

- по два ведра на команду, половник, бумажный или пластиковый стаканчик
- линейка

Разделите детей на группы. На линии старта поставьте стаканчики и ведра с водой и половниками, на финише — пустые ведра. После стартового сигнала первые игроки из каждой команды наполняют стаканчики водой, берут воду в рот сколько смогут и с полными щеками бегут к линии финиша, где выливают ее в пустые ведра. Как только первые дети прибегут обратно, каждый из них должен стукнуть следующего игрока. Он тоже делает глоток побольше и бежит к пустым ведрам. Группа, которая первая «отплевалась», говорит: «Стоп!» Затем ведра на стартовой линии измеряются с помощью линейки.

Выудим пробки

Понадобятся:

- ванна или большая миска
- часы
- много пробок
- на каждого игрока по ведру, по миске или другой емкости

Ванну наполняют водой почти до краев и кладут туда пробки. Двое детей становятся у ванны на колени, руки за спину. За время, установленное заранее (минуты 2—3), они пытаются выудить ртом как можно больше пробок и собрать их в приготовленную миску или ведро.

Из гигиенических соображений ванну перед новым заходом каждый раз нужно наполнять заново.

Водяной мяч

Понадобятся:
- стол
- клеенчатая скатерть
- пустые бутылки без крышечек
- мячики от настольного тенниса
- пустые бутылки из-под средств для мытья посуды

Накройте стол клеенкой. Поставьте на нее не менее двух бутылок. На горлышко каждой бутылки положите теннисный мячик. В бутылки из-под средств для мытья посуды налейте воду. Теперь дети (не менее двух) должны постараться попасть струей воды в мячик на бутылке и сбить его. Когда мячик падает или вода у стрелка кончается, наступает очередь следующего игрока.

Громадное удовольствие доставит детям и следующая игра с водой.

Поражение цели водяными бомбами

Понадобятся:
- воздушные шарики
- тонкая длинная доска
- гвозди
- молоток
- ведра
- надувной бассейн (желательно)

Эту игру хорошо устроить на улице в жаркий день.
Водяные бомбы (конечно, не настоящие бомбы, а воздушные шарики) наполните водой из-под крана и завяжите. Прошейте тонкую доску насквозь гвоздями: они должны выглядывать с противоположной стороны. Для метания бомб приготовьте большой их запас — в одном или нескольких ведрах, этого хватит, чтобы порадовать одного-двух игроков освежающими брызгами. При этом два игрока садятся в надувной бассейн, а два стоят справа и слева от них и держат доску с гвоздями. Если бассейна нет, то добровольцы могут просто присесть под доской на землю.
По команде игроки бросают водяные бомбы в доску. Если им удастся попасть на гвоздик, шарики

лопаются — и холодная вода струится на головы жертв. Особенно весело, когда, ко всеобщему удовольствию, одежда бесстрашных, но все-таки иногда взвизгивающих жертв в конце концов промокает до нитки.

Можно, конечно, устроить и брызгательные соревнования: тогда нужно организовать две группы и сделать две доски с гвоздями. Понадобятся также два добровольца, которые под них сядут. Выигрывает та команда, чей доброволец быстрее промокнет от водяных бомб.

В эту игру можно отлично сыграть всей семьей: тетя Таня и дядя Володя сидят в бассейне под доской. Бабушка Лиза и дедушка Гриша кидают в них водяные бомбы. Вот только захотят ли они участвовать в этой игре?..

Следующая игра тоже очень веселая.

Поймай дождь

Понадобятся:
- ведра
- стаканчики или баночки
- одежда для дождливой погоды или большие полиэтиленовые мешки для мусора и шапочки для купания
- зонтик

Дети со стаканчиками, баночками или ведрами выходят под дождь. Они собирают как можно больше дождевых капель. Выигрывает тот, кто быстрее наполнит емкость до заранее установленной линии. Для этой игры нужна одежда по погоде или, еще лучше, купальные шапочки и мешки для мусора с прорезями для головы и рук.

Победитель получает мороженое и зонтик (если это можно).

Немало удовольствия и от выхода всей семьей под теплый летний дождь в купальниках. А если сосед с удивлением спросит: *«Что это вы там делаете?»* — вы ему просто ответьте: *«Собираем дождинки!»* Представляете, какое у него будет выражение лица?

Вычерпай воду

Понадобятся:
- стаканы
- большие емкости
- купальные шапочки

Разбейте детей на две группы и определите линию старта и финиша. На финише поставьте большие емкости с водой. В руках у первых игроков каждой команды должно быть по купальной шапочке. После стартового сигнала они бегут к своим емкостям, черпают воду стаканом и наливают ее в шапочку. Затем надевают шапочку на голову и мчатся обратно, к своей команде. Добежав, передают шапочку следующему игроку. Победит группа, которая первой вычерпает всю воду.

Погаси свечу выстрелом

Понадобятся:
- свечи
- водяные пистолеты
- спички или зажигалка

Дети сидят все вместе. На расстоянии от них в метр или два (это зависит от возраста, можно и дальше) стоит несколько горящих свечей. По команде каждый игрок старается потушить пламя свечи выстрелом из своего водяного пистолета. Победитель тот, кто погасит больше свечей, чем остальные.

Особенно интересны «брызгательные» игры со шлангом (см. далее).

Беззубая ведьма и водяные

Понадобятся:

- шланг
- платок на голову, старая кофта, юбка пошире и так далее — чтобы переодеться ведьмой
- черный (не ядовитый) фломастер, чтобы нарисовать зуб
- одежда для дождливой погоды, купальники или полиэтиленовые мешки для мусора

Эта игра идет на улице, дети одеты в купальники либо так, как во время дождя, или же в мешки для мусора. Они изображают водяных и ждут ведьму. Раздается сильный грохот: это идет ведьма. Она хочет прогнать водяных водой из шланга. Конечно, стоит визг и крики. Когда ведьма попадает в кого-нибудь водой, тот выбывает из игры. Ведьма может заставить водяных прыгать через струю воды или пробежать под струей. Возможны разные варианты, о них дети могут договориться перед началом игры.

Гонки с зонтиками в бассейне

Понадобятся:

- зонтики

Пойдите в бассейн и спросите у дежурного, нельзя ли детям в виде исключения принести с собой зонтики минут на двадцать. Он спросит, зачем. *«Чтобы не очень промокнуть!»* — ответите вы. Конечно, это не настоящий ответ, а шутка. Правильный ответ такой: *«Для игры!»* Если дежурный разрешит, тогда разделите детей на две команды.

По сигналу первые игроки каждой группы должны плыть от одного края бассейна к другому с зонтами в руках — и снова назад. Дойдя опять до старта, они передают зонт следующим. Игра окончена, когда все игроки «сплавали» с зонтом туда и обратно. Выиграет та команда, чьи игроки окажутся быстрее.

И наконец далее — игра для ванной комнаты.

Ванна полна

Понадобятся:
- разные сосуды, чтобы черпать воду (бутылочки из-под шампуней, стаканчики из-под йогурта и так далее)
- два ведра

В этой игре участвуют два игрока: ведь в одну ванну вряд ли поместится больше.
Взрослый и ребенок или двое детей сидят в ванне и весело плещутся. Около ванны стоит два ведра. По команде игроки начинают черпать и выливать в них воду из ванны. При этом они поют веселую песню — например, с такими словами:

С другом в полной ванне
Вместе мы сидим,
Плещемся, как утки,
И гал-дим!

Тише! Начинаем
Главную игру:
Кто быстрей наполнит
По вед-ру?

В конце ванна, конечно, уже не полная.

Будем надеяться, что корабль не утонет.

Тонущий корабль

Понадобятся:
- большой таз
- пластмассовая мыльница или мисочка
- сосуд с носиком

В большой таз, наполовину наполненный водой, дети пускают вместо кораблика мисочку или мыльницу. Затем один из детей наливает в нее из стоящей рядом лейки немного воды. Дальше дети по очереди осторожно подливают туда воду. Кораблик при этом не должен утонуть, об этом детей надо предупредить заранее. Все с интересом наблюдают, сколько времени удастся продержаться тонущему кораблику.

Морские приключения

Понадобятся:
- маска для ныряния
- ласты
- игрушечные рыбка и кораблик
- купальный костюм
- молоток
- позолоченные камни
- картонный якорь
- деньги (конечно, игрушечные)

Каждый берет себе один из предметов. Потом вы рассказываете историю, в которой эти предметы встречаются. Если слово прозвучало, обладатель данного предмета встает и всем его показывает. Вот пример истории о морских сокровищах.

Жил-был мальчик. Звали его Костя. Однажды ему приснился сон, будто он отправился в путешествие по Средиземному морю на лодке. Лодка заплыла далеко в море. Костя догреб до какой-то гавани и высадился. Местные жители рассказали ему о затонувшем городе, который был построен из настоящих золотых камней. Костя решил обзавестись снаряжением для подводного плавания, маской для ныряния, ластами — и что там еще нужно? (Пусть дети назовут эти вещи, а кому хочется, может на себя их надеть.) *Чтобы заработать денег, Костя стал помогать рыбакам из гавани удить рыбу. Однажды он поймал огромную, редкую рыбу, продал ее и получил большие деньги. Их как раз хватило на снаряжение для подводного плавания. И вот настал великий день! Костя надел плавки и взял с собой все для ныряния. Он вышел в море на лодке и направился туда, где, как говорили, должен был находиться затонувший город. Там он спустил якорь, надел на себя все снаряжение аквалангиста и прыгнул в воду. Погрузившись метра на два в глубину, Костя увидел его, этот подводный город из чистого золота! Мальчик очень разволновался и попробовал отколоть молотком от одной из башен золотой камень. Когда ему это удалось, он заметил, что вода проникла к нему под маску. Но золотой камень уже был у него в руке...*

Тут Костя проснулся и посмотрел на свою руку. Золотого камня на ладони не было. Он рассказал про свой сон маме. Она улыбнулась: «Ты можешь еще раз попробовать нырнуть в затонувший город. Вдруг в следующем сне у тебя получится?» Вечером мама дождалась, когда Костя заснет, позолотила морской камешек золотой краской и положила на тумбочку рядом с Костиной кроватью. Когда мальчик проснулся, он увидел на тумбочке золотой камень. А под кроватью лежали маска для ныряния и ласты... Костя с удивлением протер глаза и очень обрадовался.

Поиск сокровищ под водой

Понадобятся:

- большой прозрачный сосуд
- платок
- ракушка
- домик улитки
- маленький камень
- скелет морского ежа
- скелет морской звезды (и вообще все, что привезено с последнего отдыха на море)

Наполните сосуд водой и положите туда свои находки. Дети должны их увидеть и пощупать. Затем одному из них завяжите глаза. Он должен опустить руку в воду, ощупать находящиеся там предметы и отгадать, что это такое. Зрители могут немножко помочь ему подсказками.

Пачкаемся и лепим

У детей, особенно маленьких, потребность возиться с вязкими материалами и лепить — одна из основных. Однако взрослые, к сожалению, часто не обращают на нее внимания. При виде перепачканного ребенка они обычно издают странные звуки вроде: «И-и-и-и-э-э-э!» — и говорят при этом с укором: *«Немедленно перестань! Ты весь вывозился в грязи!»* Услышав подобные слова, дети могут спеть в ответ веселую песенку вроде такой:

Люблю я тесто замесить,
Песок водою разводить.
Для этого не много надо:
Побольше глины лишь из сада!
Годится также мамин крем,
Ведь он не нужен ей совсем.
А можно взять обычный клей:
Добавишь лаку для ногтей —
И станет этот клей цветной!
Воскликнет мама: «Боже мой!»
А я отвечу: «Может,
И ты полепишь тоже?»

Мажемся пеной для бритья

Понадобятся:

- пена для бритья
- большое зеркало
- большой пластмассовый коврик или пленка

Дети раздеваются до трусиков. В зависимости от ситуации они могут быть в купальниках или голышом. Потом на коврик или на пленку рядами либо кругами наносится пена для бритья. А через некоторое время дети начинают мазать сами себя или остальных этой пеной... Только надо обязательно внушить им, что пену для бритья нельзя есть. В конце концов все отправляются под душ.

Быстрый брадобрей

Понадобятся:
- картон
- фломастеры и карандаши
- ножницы
- пена для бритья
- кисточка для бритья, если есть
- миска с водой
- полотенце
- белый халат

Вырежьте из картона побольше станочков для бритья и раскрасьте их. Поиграйте с детьми в парикмахера. Разбейте на команды. Один ребенок из каждой команды становится брадобреем. Он надевает белый халат и берет в руки большую емкость с пеной для бритья. Этой пеной брадобрей намыливает детей из своей группы. Когда кисточка прошлась уже по всем членам команды, он приступает к бритью: с помощью «безопасной бритвы» брадобрей освобождает ребятишек от пены. Ему придется, конечно, поработать и тряпочкой, и водой, чтобы сделать их совсем чистыми. Интересно, кто из брадобреев работает быстрее?

Отгадай картинку из пены

Понадобятся:
- пленка
- пена для бритья

Все сидят на корточках на пленке. Один начинает и рисует пеной для бритья картинку: рожицу, цветок, дом. Дети гадают, что может означать эта картинка из пены. Кто угадал или ближе всех подошел к отгадке, может теперь сам нарисовать что-нибудь.

Отлично повозиться и перепачкаться можно с помощью клейстера и песка.

Магазин «Лучшие каши»

Понадобятся:
- много пустых банок с крышками
- ложки
- клейстер
- песок

Дети смешивают в разных соотношениях обойный клейстер и песок. Затем они наполняют получившимися кашами разные банки. Куличики можно «испечь» только из некоторых, остальные будут растекаться. Разрешите детям, к примеру, сунуть палец во все банки и выбрать любимую кашу. Ею они могут хорошо порисовать на старых газетах или целлофановых пакетах: получаются прекрасные картины.
А можно устроить рекламную кампанию лучших сортов каш в магазине и продавать их тем «покупателям», кто предложит больше денег (самодельных, конечно). Может быть, куклы или другие участники игры проголодались и не прочь, чтобы их покормили с ложечки...

Для того чтобы рисовать пальцем, есть много прекрасных возможностей.

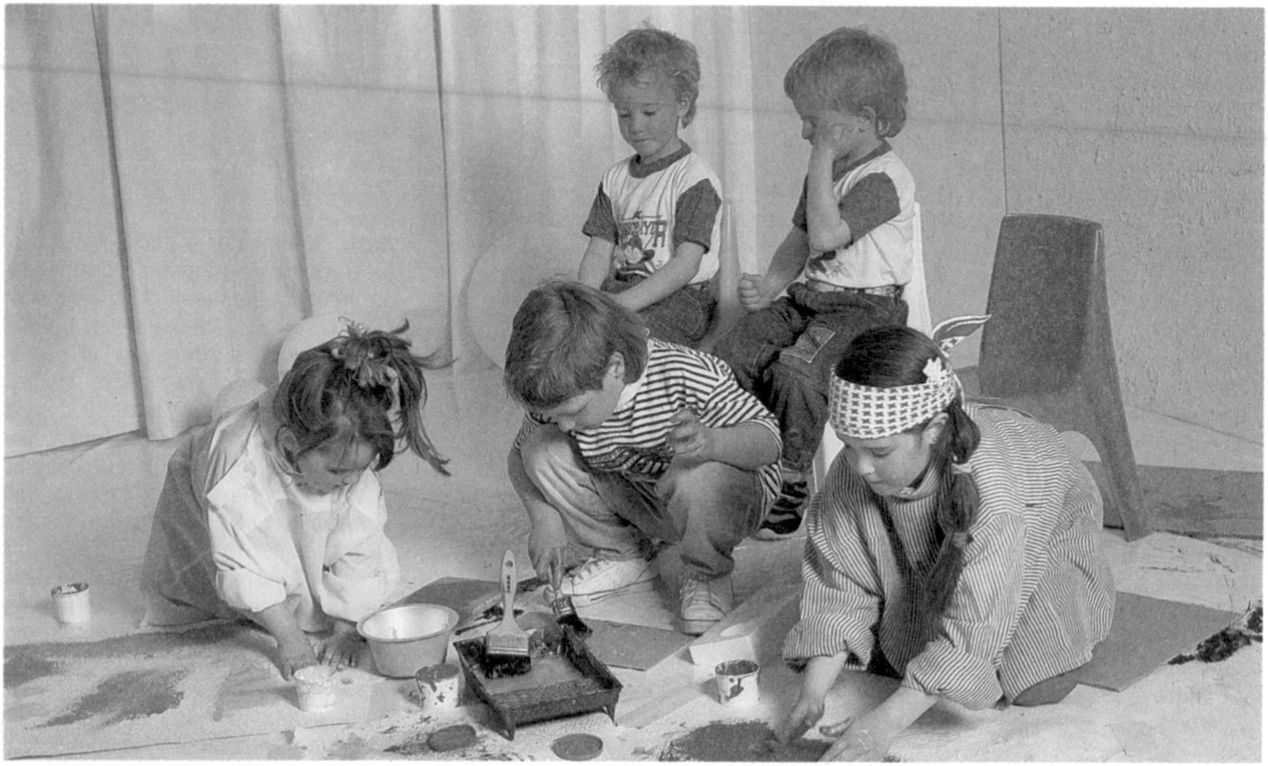

Юные художники приступают к работе с цветной клейкой массой.

Пестрое месиво

Понадобятся:
- смывающаяся сухая краска
- клейстер
- большой рулон бумаги (или остатки обоев)
- радиоприемник или проигрыватель

Смешайте клейстер с краской. Пусть дети на большом рулоне бумаги рисуют крупные картинки, окуная пальцы в цветной клейстер и слушая хорошую музыку: это поднимает настроение. К тому же движения рук под музыку при рисовании становятся непринужденнее.

Можно покрасить и песок.

Песчаные художники

Понадобятся:
- акварельные краски
- песок
- пустые стаканчики из-под йогурта
- большой стеклянный сосуд
- деревянные бусинки
- тонкий шнурок

Дети окрашивают песок порциями в разные цвета и временно насыпают его в стаканчики из-под йогурта. С помощью разноцветного песка можно добиться потрясающих эффектов! Например, насыпать его постепенно, слой за слоем, в стеклянный сосуд и воткнуть в каждый слой деревянную бусину, привязанную за

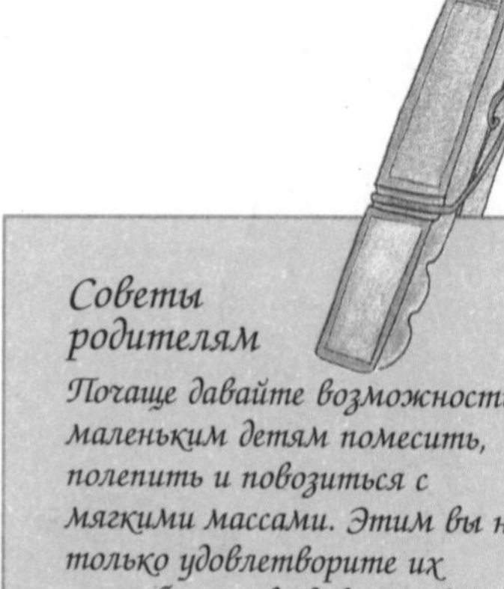

Советы родителям

Почаще давайте возможность маленьким детям помесить, полепить и повозиться с мягкими массами. Этим вы не только удовлетворите их потребность в удовольствии, но и поспособствуете развитию тонкой моторики.

шнурочек. Кончик шнурочка свисает с края сосуда. Когда сосуд наполнится, бусинки вытаскивают за эти шнурочки. Когда песок перемешается, получится удивительный «мраморный» эффект.

Для лепки и игр с мягкими массами кое-что неплохо бы хранить у себя дома, например:

- пленку
- пластиковые крышки
- большие пластиковые сосуды — для хранения мягкой «грязи»
- ведра и другие емкости
- составные части для теста
- порошковую краску

Вот три рецепта для разных сортов теста, из которого можно лепить разные фигурки. Все три теста можно окрасить растительными красками.

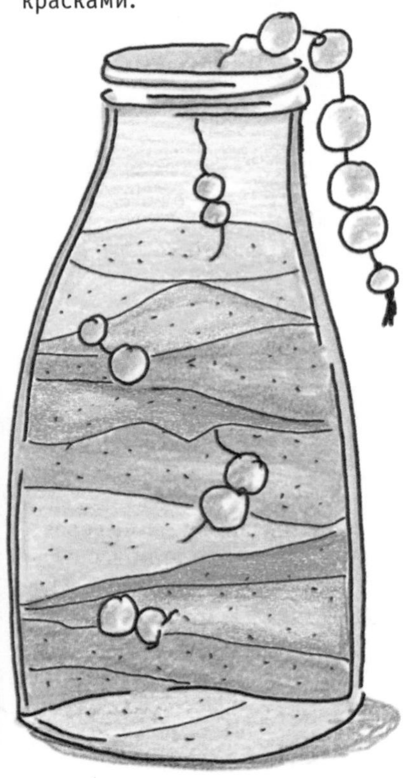

Сладкое тесто

Понадобятся:
- чашка воды
- две чашки сахара
- три чашки муки

Все хорошо перемешать. Слепить из теста фигурки и час запекать их в духовке при температуре 175 °С.
Это тесто можно есть и при этом не испортить себе желудок — в отличие от двух других сортов теста.

Соленое тесто

Понадобятся:
- четыре чашки муки
- чашка соли
- полторы чашки воды

Все смешать. Если масса получилась слишком густая, добавить еще воды или жидкого клейстера для обоев. Хорошо перемешать тесто и вылепить из него фигурки или вырезать их формочками. Выпекать в духовке час при температуре 175°С, иногда несколько дольше — в зависимости от толщины фигурок. Когда фигурки высохнут, можно расписать их акварельными красками и украсить. А потом пройтись по ним прозрачным лаком для мебели или лаком для волос — так они дольше сохранятся.

Тесто из крахмала

Понадобятся:
- крахмала — одна часть
- поваренной соли — две части
- воды — одна часть
- растительного масла — немного

Все перемешать и варить на слабом огне, пока масса не загустеет. Затем добавить в нее несколько капель растительного масла, чтобы предотвратить высыхание. Когда масса остынет, вылепить из нее фигурки. Их нужно два дня высушивать на воздухе или положить на час в духовку при температуре 175 °С.

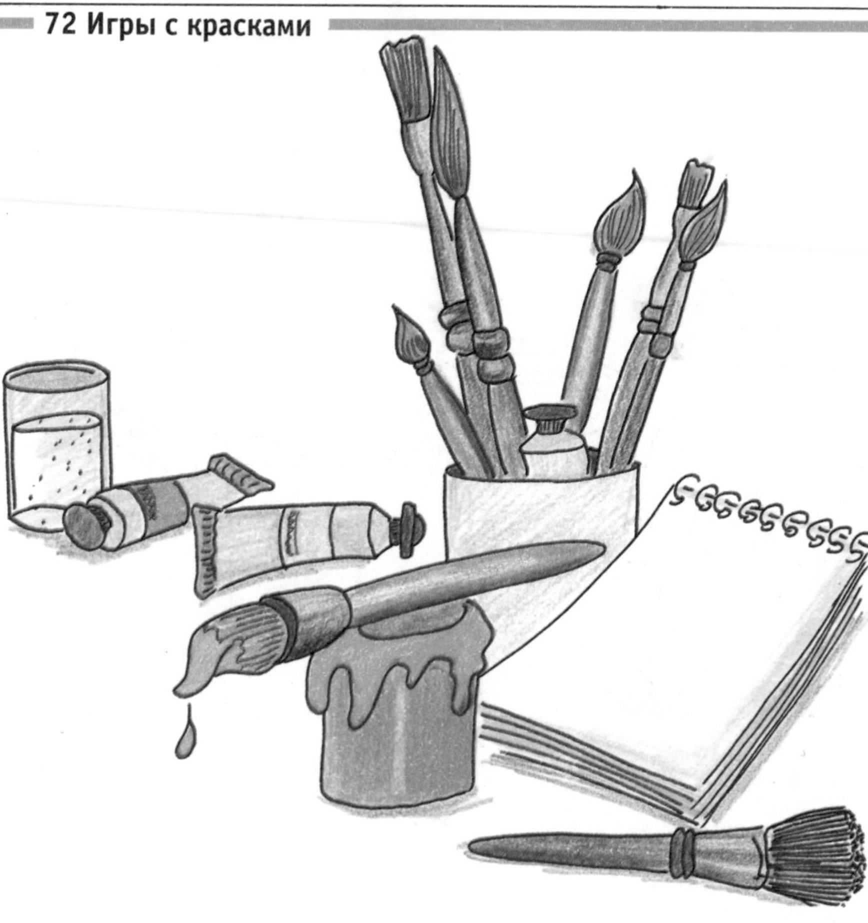

Такие и похожие истории о красках можно рассказывать детям, когда они с удовольствием размалевывают бумагу цветными пятнами и пробуют смешивать краски. Мысль сочинять истории такого рода мне подала книжка Лео Леонни «Синяя Малышка и Желтая Малышка». Эта простая и прелестная история о красках побудила меня заняться игрой в кляксы с маленькими детьми. При этом особенно важно приготовить все необходимое для игры.

Основные материалы для игр, описанных далее

Понадобятся:

- моющаяся пленка для защиты стола или пола
- палитра или разные крышечки от банок с вареньем
- разные кисти
- много листов белой бумаги
- остатки старых рулонов обоев
- макулатурная бумага (можно газеты)
- пустые пластиковые стаканчики для воды и красок
- краска в тюбиках трех основных цветов: красного, синего и зеленого

Все, что потребуется дополнительно, указано при описании конкретной игры.

Очень рекомендую непроливаемые стаканчики с отверстием для кисточки. Благодаря специальному механизму в крышке вода с краской при опрокидывании не выливается — пачкаться при этом все будут гораздо меньше. Еще рекомендую смывающиеся и безопасные для здоровья краски.

Игры с красками

Жили-были две подруги. Звали их Синяя Малышка и Желтая Малышка. Они любили играть с другими Малышками: Красной, Черной и Белой. Синяя и Желтая иногда обнимались, потому что очень любили друг друга, и тогда становились зелеными. Красная и Синяя тоже дружили. Во время особенно бурных объятий они становились лиловыми. Белая и Черная любили прилечь рядышком и немало удивлялись, что от этого становились серыми. Но чтобы родители могли их узнать, после объятий они быстренько прыгали в чистую воду, чтобы смыть чужую краску.

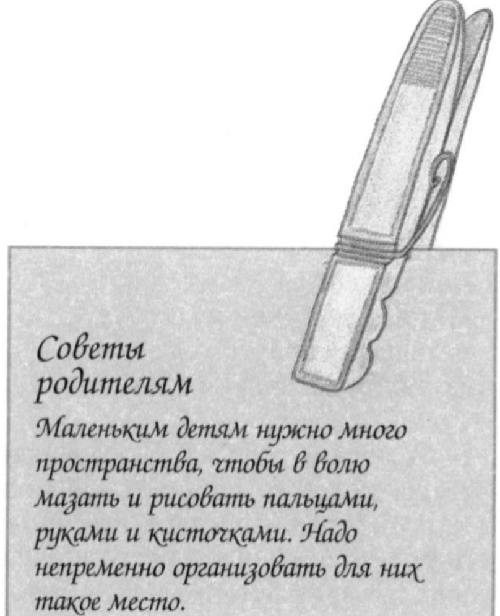

Советы родителям

Маленьким детям нужно много пространства, чтобы в волю мазать и рисовать пальцами, руками и кисточками. Надо непременно организовать для них такое место.

Мастер клякс

Дети имеют право вволю порадоваться тому, как получаются кляксы, и нужно помочь им набраться опыта в обращении с красками, играя. Маленькие поощрительные истории устанавливают связь между фантазией и изображением с помощью красок.

У всех в руках по кисти. Окунаем кисть в воду, а затем в красную краску. Затем еще раз быстренько в воду и — шмяк! — на бумаге уже красная клякса.

При этом можно рассказать, например, такую историю:

Клякса прекрасная,
Круглая, красная
В гости вдруг позвала.
Желтая клякса,
Задира и плакса,
Сразу в гости пришла.

(Окунаем кисточку в желтую краску и делаем рядом с красной желтую кляксу.)

И синяя тоже!
Скорчила рожу —
Но прибежала скорей.
Всем ведь известно:
Вместе, хоть тесно,
Да зато веселей!

(Сажаем синюю кляксу, а затем смешиваем все три вместе.)

Советы родителям

Если пятна сажаются без правил, нам нужно следить за тем, чтобы маленькие художники не одичали и совсем уж не разошлись. Если это все-таки случится, просто перейдем к другой, спокойной, игре.

А в следующей игре речь идет об экспериментах со смешиванием красок.

Веселая смесь вдвоем

Приготовьте много картонок (карточек) размером 10 х 10 см. Пусть дети поставят на каждую по пятну-кляксе основного цвета. Картонок должно быть столько же, сколько детей. Дайте краскам высохнуть. На середину стола положите закрытые (перевернутые) карточки с кляксами смешанного цвета (например, оранжевую — из красного с желтым, или зеленую — из желтого и синего, или фиолетовую — из красного и синего). Каждый ребенок вытягивает для себя из общей кучки карточку основного цвета. Откройте одну из карточек, лежащую в середине стола. Если это, например, карточка с оранжевой кляксой, дети, у которых карточки красная и желтая, должны объединиться и вместе нарисовать картинку, на которой видны как основные, так и смешанные цвета.

Если детям еще трудно определить, из каких цветов составляется смешанный цвет, они могут приблизиться к пониманию этого с помощью рисования. Если все хотят рисовать одновременно, можно раздать каждому по три карточки с основными цветами. Пусть дети сами додумаются, какие краски нужно смешать, чтобы получилась краска, изображенная на карточке, лежащей посередине стола.

Память на цвета

Понадобятся:
- 9 белых листов картона
- самоклеющаяся прозрачная пленка
- ножницы

Дети раскрашивают (каждый сам по себе или все вместе) большие листы плотной бумаги в красный, синий, желтый, черный, оранжевый, зеленый, коричневый и фиолетовый цвета. Один лист остается белым. Когда краски высохнут, нужно обтянуть листы прозрачной пленкой. Если это трудновато, можно обтянуть пленкой уже разрезанные карточки. Разрежьте бумагу на большие квадраты (если собираетесь играть в игру, удобно устроившись на полу, на ковре) или на маленькие квадратики (если хотите играть за столом). Квадраты перемешайте и положите на стол, перевернув незакрашенной стороной кверху. Есть разные правила.

Вариант 1. Вы можете руководствоваться самыми обычными правилами игры-«меморины». Каждый из детей по очереди имеет право открыть две карточки. Если карточки не одинакового цвета, их переворачивают незакрашенной стороной вверх и снова кладут на место. Каждый старается запомнить, где лежат карточки. Пары одного цвета забирает себе их «первооткрыватель».

Вариант 2. Один из детей (а может быть, и двое) сосредоточиваются на собирании какого-нибудь одного цвета, например синего. Но и в этом варианте можно открыть и отложить только две карточки. Откладывать разрешается и карточки с более светлыми или темными оттенками цвета. Кто первым соберет «свой» цвет, будет победителем.
Дети нередко стараются менять правила. Дайте им такую возможность!

Определить, кому же принадлежат отпечатки, не так-то просто. А может, это плоская ступня Кости?

Художники и их произведения

Понадобятся:
- плотная бумага
- фотографии участников игры
- клей
- ножницы
- фломастеры

Участники игры рисуют каждый на своем листе бумаги какую-нибудь картинку, по возможности незаметно для остальных. Кто закончил, кладет свое произведение картинкой вниз на стол (или на ковер). Наклейте на картон фотографии участников игры, хорошо перемешайте и раздайте детям. Кто вытянул свое собственное изображение, должен с кем-нибудь поменяться. А теперь откройте первое произведение. Тот, кто решил, что держит в руках фотографию художника — автора произведения, должен об этом сказать. За правильный ответ очки складываются, за неправильный — вычитаются.
Отличную игру можно устроить, используя отпечатки рук и ног. Представленная далее игра — всего лишь один пример. Постепенно вы сможете придумывать все больше и больше подобных игр.

Игра с рукой и ногой

Понадобятся:

- толстая мягкая кисточка
- бельевая веревка или крепкая бечевка
- прищепки для белья
- листы бумаги и карандаш или ручка

Веселье начинается с самого начала, когда вы берете у детей отпечатки рук и ног. Для этого нанесите кисточкой на ладонь и ступню каждого ребенка краску, разбавленную водой, и прижмите их к белой бумаге или белому картону. Сначала все пользуются одной краской. Получившиеся «творения» повесьте на бельевую веревку и закрепите прищепками. Напишите на отдельном листке бумаги имена всех играющих. Посадите малышей в рядок — пусть смотрят на отпечатки. Теперь снимите с веревки один из листов и покажите его детям. Они должны угадать, чей же это отпечаток. Кто назовет правильное имя, получит, к примеру, кубик. У кого в конце игры будет больше всего кубиков, тот выиграл.

Можно научить детей поиграть с помощью таких отпечатков рук и ног в «детективные» игры.

Цветная мозаика

Понадобятся:

- картон
- ножницы

Дети по двое вместе рисуют пальцами на картонке картинку. Каждая группка пользуется всего одним цветом. Потом ведущий разрезает картинку на 8—10 частей. По сигналу их нужно снова сложить. Кто быстрее?

Точка на носу

Понадобятся

- стулья

Нарисуйте на носу каждого ребенка цветную точку. Следите, чтобы различные цвета встречались с одинаковой частотой (например, две зеленых точки и две красных — и так далее, в зависимости от числа детей и красок). Один из детей стоит в центре, остальные сидят на стульях вокруг. Он (или сам ведущий) рассказывает историю. Если в рассказе встречается красный цвет, дети с красными точками на носу меняются местами. В этот момент ребенок, который стоит в центре, старается захватить себе место на стуле. Если у него это получается, оставшийся без места становится в центр.

Вариант. Дети с точкой одного цвета должны перечислить все, что знают о предмете «своего» цвета: например, помидор, вишня, сигнал светофора — на красный цвет; лимон, солнце — на желтый. Победит тот, кто перечислит больше предметов. Можно спросить и по-другому: *«Что вы здесь, в комнате, видите своего цвета?»*

Дома дым коромыслом

На улице моросит дождь и воет ветер, а дома так скучно. Зачем огорчаться? И в квартире можно устроиться очень неплохо. Коридор будет скоростным шоссе, а дедушке наверняка понравится нестись в нашем самодельном гоночном автомобиле из картона. Мама как раз занята тем, что делает из старых поварешек и разрозненных носков ведущих актеров кукольного театра, а папа достал бутылку вина, чтобы дать нам пробку: из нее мы соорудим мышь для игры в «кошки-мышки». Наша квартира сейчас станет киностудией, и мы будем снимать взятой напрокат кинокамерой сценки с переодеванием великих артистов. И даже сплетнице тете Тане придется помолчать. Филипп в кухне воспроизводит разные шумы. Удастся ли нам набрать очки, отгадывая, что они могут значить? Тетя Лиза плохо слышит, ей придется туго. Но не беда: она отыграется, угадывая запахи. Когда настроение у всех сделается достаточно веселым, пойдем на кухню, возьмем кастрюли, ложки, пустые бутылки и споем под их аккомпанемент смешные песенки. Если после этого позвонит рассердившийся сосед, пригласим его поесть на скорость пудинга или поучаствовать еще в каких-нибудь безумных играх. А когда у некоторых игроков от смеха разболится живот, быстро выстроим из ящиков и коробок кабинет врача и пригласим их в приемную. Вон они все там сидят, от мала до велика! Потому что игры этого раздела предназначены для старших дошкольников и младших школьников. Но и детям постарше, одержимым не видео или дискотеками, а играми и весельем в кругу семьи, и взрослым, оставшимся молодыми, эти игры тоже доставят много удовольствия. Игры предыдущего раздела были специально ориентированы на потребности совсем маленьких детей. А участвуя в играх, описанных в этом разделе, вовсю смогут повеселиться дети четырех—шести лет. Они уже умеют слушать с большим вниманием, с удовольствием играют вместе с остальными, любят игры по ролям с куклами и всякими причиндалами. Они сочиняют истории и не прочь попробовать свои силы на подмостках сцены, перед дружеским кругом зрителей. Четырехлетние дети при этом демонстрируют достаточно спонтанное поведение, а пяти- и шестилетние подходят к играм уже вполне планомерно и обдуманно.

Групповые игры. Изменяем их и придумываем новые

Однажды отличным летним днем мы лежали на пляже — несколько детей и взрослых. Купаться не хотелось. Мы очень пожалели, что не взяли с собой ни карт, ни какой-нибудь другой игры. И тогда кто-то из нас придумал, что делать. Мы стали собирать ракушки и камешки. Потом палкой нарисовали на выровненном песке линии... Игровое поле! Один из камешков снабдили отметками: с одной стороны было солнышко, с другой — тучка и дождевые капли. Этот камешек мы бросали вместо кубика. В соответствии с выпавшим на камешке знаком играющий шел вперед (при солнышке) или отодвигал свои фишки назад (при дожде). Кто первый доходил до цели, становился победителем. Ободренные первым успехом, мы выдумывали все новые и новые игры с камешками и ракушками. Так можно импровизировать и дома. Совсем не обязательно играть в дорогие, купленные в магазине настольные детские игры. Отличные игры можно придумать, используя каштаны, пробки, крышечки от бутылок или пуговицы, картон или фанерку и немного краски. Приведем несколько примеров.

Потяни мышку

Понадобятся:
- пробки
- остатки сукна и шерсть
- булавки с цветной головкой
- фломастеры
- цветной кубик
- стаканчик из-под йогурта

Игроки сидят вокруг стола или на корточках на полу. В середине лежат пробковые мышки. У них ушки из сукна, булавочный нос и два нарисованных глаза. Сзади у каждой из мышек другой булавкой приколот хвост из шерстяной нитки. У игроков в руках нити от своих мышей. На кубике — цвета разных мышей. Ребенок держит в руке стаканчик из-под йогурта, которому можно придать вид кошки, и бросает кубик. Если выпадет желтый, он должен постараться поймать «кошкой» желтую мышь. Тот, кто держит эту мышь, захочет, конечно, быстро ее оттащить. Если желтую мышку все-таки поймают — что ж, ее владельцу не повезло: она вышла из игры и ее откладывают в сторону. Последний оставшийся владелец мыши имеет право в следующей игре стать ловцом мышей.

Вариант. У детей может быть по нескольку мышей одного цвета.

Поощрение к созданию самодельных игровых полей для настольных игр

Понадобятся:

- пробка
- эмаль
- квадратная или прямоугольная картонка или фанерка
- краски
- фломастеры
- фотографии из цветных журналов
- клей
- цветной кубик
- кубик с глазами

Из пробок и картонки (или фанерки) можно сделать много веселых игр. Раскрасьте пробки в разные цвета эмалью так, чтобы они выглядели как фишки.

Потом продумайте вместе с детьми игровое поле и перенесите его с черновика на картонку. Когда будете рисовать поле, сначала изобразите какую-нибудь забавную цель, к которой ведут разные пути. Можно приклеить и фотографии из журнала. На разноцветные кружки старта потом встанут фишки-пробки соответствующего цвета. Можно отметить и кружочки какого-нибудь особого цвета, на которых игрок пропускает ход или возвращается назад на два хода.

Для игры вам еще понадобится цветной кубик или кубик с глазами, в зависимости от того, как вы разрисовали игровое поле. Если нет цветного кубика, можно нанести на обыкновенном кубике цветные точки эмалью.

А теперь продумайте правила игры. Два примера того, как может выглядеть игровое поле, показаны на этой странице.

Пестрый конфетный кубик

Понадобятся:

- разные конфеты
- большой белый картон
- фломастеры
- цветной кубик

В центре листа нанесите точку. От нее проведите соединительные линии к детям. В конце этих линий будут находиться разноцветные поля старта. На них положите по конфетке в фантике соответствующего цвета. Теперь все дети по очереди бросают кубик. Если игроку выпадет цвет его конфетки, он кладет ее на поле соответствующего цвета, которое в свою очередь объединяется линиями с полями одной цветовой группы. Дети, первыми заполнившие свои поля, могут съесть свои конфеты. Остальные бросают кубик дальше.

Вариант. Если дети не хотят играть друг против друга по одному, то те, у кого конфеты одного цвета, могут объединиться в группу. Для этой игры наверняка можно придумать много разных правил.

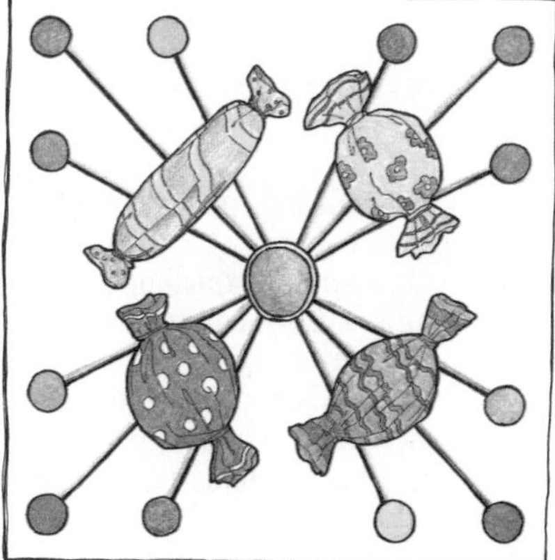

Мозаичные песни

Понадобятся:

- почтовые открытки с картинками
- ножницы
- конверты
- несколько музыкальных инструментов

Разрежьте открытки на части так, чтобы форма кусочков не была слишком сложной. Каждый ребенок получает один кусочек в заклеенном конверте. По команде дети открывают конверты. Теперь игроки пытаются как можно скорее установить, с кем у них совпадают части открытки. Если группа детей правильно собрала по кусочкам свою мозаику, они договариваются и поют песню, сопровождая ее игрой на музыкальных инструментах. Хорошо, когда тема песни как-то связана с изображением на открытке.

Игра в пингвинов

Понадобятся:

- фанерка или плотный белый картон
- рулоны туалетной бумаги
- белая бумага или белая краска и кисть
- клей
- черная бумага
- фломастеры
- белый кубик с черными точками

Дети любят игры под пение. Прежде чем мастерить для этой игры пингвинов, порепетируйте с ними песенку про пингвинов. Мотив может быть любой, а слова, например, такими:

Кто стоит
На льду один?
Это маленький
Пингвин!

Скучно малышу
Стоять
И от холода
Дрожать.

Постоял он,
Подрожал —
И по кругу
Побежал.

Посмотри скорей
Вперед!
Кто там выбрался
На лед?

Твой любимый друг —
Пингвин,
И теперь ты
Не один!

Пусть вовсю
Трещит мороз,
Мы вдвоем
Устроим кросс!

Кто быстрее?
Раз, два, три!
Только под ноги
Смотри!

Сначала сделайте пингвинов:

1. Оклейте белой бумагой или покрасьте в белый цвет цилиндры из картона.

2. Вырежьте из черной бумаги крылья и лапы и приклейте их к цилиндрам.

3. Нарисуйте глаза и клювы.
Так же сделайте белого медведя, только вместо крыльев и лап у него должны быть уши и лапы из белой бумаги.

Будем надеяться, что по дороге пингвины не встретят белого медведя.

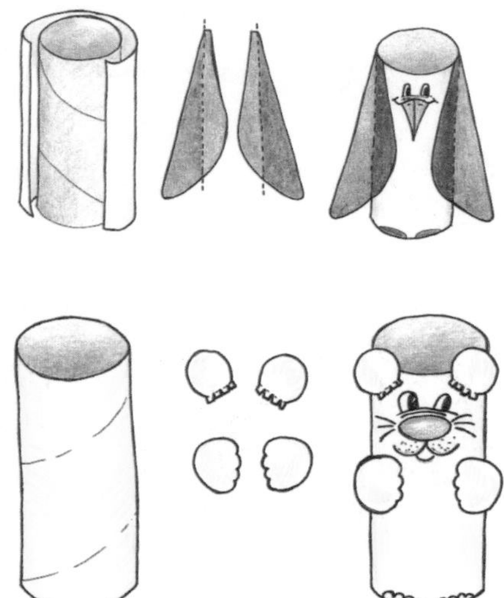

Теперь приступайте к изготовлению игрового поля. На фанерке или картонке по краям нарисуйте по кругу кружочки игровых полей, соответствующих по размеру донышку цилиндров. Это глыбы льда. В центре изобразите холодный северный ветер — пингвины вместе стараются его побороть. Старт должен быть в углу игрового поля, финиш — по диагонали напротив. До начала игры договоритесь, в какую сторону двигаться: по часовой стрелке или против. Когда два пингвина встречаются на «ледяной глыбе», игроки щекочут друг друга под подбородком. В конце игры два пингвина должны попасть к финишу, не встретившись с белым медведем. Он как раз топает по кругу в противоположном направлении. (Хотя в Антарктике белые медведи не живут, для игры это не столь важно.) А бросать надо белый кубик с черными точками.

Песенка и игра «Настроение»

Дети демонстрируют свое настроение гораздо непосредственнее взрослых. Они предаются ему без помех и таким образом справляются со своими переживаниями. Эту способность желательно отметить в песне.
На подходящий мотив можно спеть песенку с такими, например, словами:

Если весело мне,
Хлопаю в ладоши.
Если весело мне,
Хлопаю в ладоши.
Если весело мне,
Хлопаю в ладоши.
Если весело мне,
Хлопаю в ладоши.

Если весело мне,
Я в ладоши хлопаю.
Если весело мне,
Я в ладоши хлопаю.
Да! Если весело мне,
Хлопаю в ладоши я!

Если станет грустно мне,
Я тогда заплачу.
Если станет грустно мне,
Я тогда заплачу.
Если станет грустно мне,
Я тогда заплачу.
Если станет грустно мне,
То я плачу,
Да, тогда я плачу.
Если грустно мне,
То плачу, да, то плачу я тогда.

(Когда дети поют этот куплет, они обычно ревут так, словно кто-нибудь съел их самое любимое мороженое.)

Если злюсь я, если злюсь —
Я тогда ругаюсь.
Если злюсь я, если злюсь —
Я тогда ругаюсь.
Если злюсь я, если злюсь —
Я тогда ругаюсь.
Если злюсь я, если злюсь —
Я тогда ругаюсь.
Да! Если злюсь я,
То ругаюсь, да, ругаюсь я тогда.
Если злюсь я,
То ругаюсь, да, ругаюсь я тогда!

(Во время исполнения этого куплета дети могут грозить пальцем. Придумать можно, конечно же, гораздо больше куплетов и разных настроений.)

«Дурак по настроению»

Понадобятся:
- картон различных цветов
- самоклеющаяся прозрачная пленка
- фотокамера и пленки
- проявленные пленки
- ножницы
- клей

Чтобы играть в эту игру, надо сначала сделать карточки. Развлекитесь и сфотографируйте всех членов семьи или всех детей из группы. Конечно,

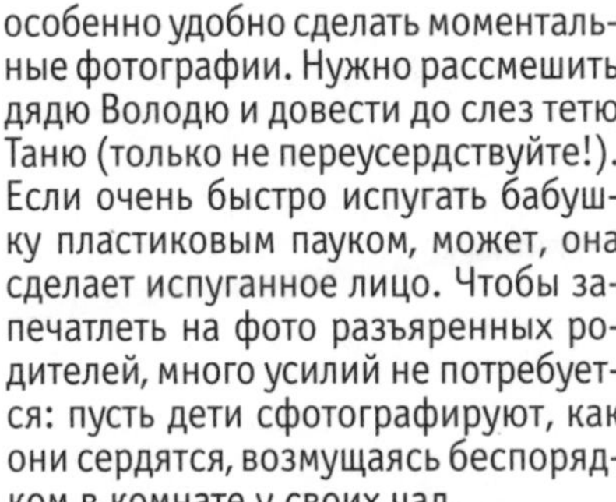

особенно удобно сделать моментальные фотографии. Нужно рассмешить дядю Володю и довести до слез тетю Таню (только не переусердствуйте!). Если очень быстро испугать бабушку пластиковым пауком, может, она сделает испуганное лицо. Чтобы запечатлеть на фото разъяренных родителей, много усилий не потребуется: пусть дети сфотографируют, как они сердятся, возмущаясь беспорядком в комнате у своих чад.
И когда у вас наберется по крайней мере восемь человек (считая самих себя) в четырех разных настроениях каждый и фотографии будут готовы, наклейте их по четыре на разноцветный картон, нарезав его предварительно на карточки размером с игральную карту. Карточки обтяните прозрачной самоклеющейся пленкой и сыграйте в дурака по обычным правилам.

Собери картинку с клоунами

Понадобятся:

- белая плотная бумага
- карандаш
- краски
- кисточка
- ножницы
- фанерка или картонка
- разрисованные пробки вместо фишек
- цветные игральные кубики

Нарисуйте на бумаге четырех клоунов и раскрасьте их в четыре разных цвета. Затем разрежьте клоунов на десять частей. Положите части (в собранном виде) в середину игрового поля, на соответствующие им цвета (см. рисунок). Разноцветные пробки раздайте детям — они будут напоминать о цвете их собственного клоуна. Если ребенок, у которого голубой клоун, бросит кубик и ему выпадет голубой цвет, он может взять частичку голубого клоуна. Если выпадет красный, то владелец красного клоуна получит частичку от него. Победит тот, кто быстрее соберет своего клоуна на большом игровом поле.
В эту игру можно сыграть и с измененными правилами. Например, каждый получает частичку своего клоуна, только если будет сам кидать кубик и ему выпадет на нем правильный цвет. Или же каждый берет себе соответствующую часть, вне зависимости от того, какой цвет выпадает. Это продолжается до тех пор, пока все части не будут розданы. Но поскольку цель игры — собрать клоуна одного цвета, теперь все меняются. Тот ребенок, которому выпадет красный цвет, а собирает он голубого клоуна, меняется с тем, кто складывает красного клоуна. Благодаря этому обмену каждый не только играет сам по себе, но и развивается, взаимодействуя с другими детьми.

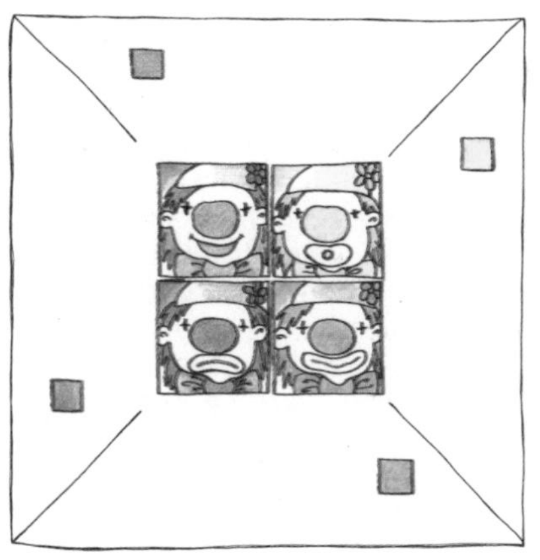

При желании во время игры можно петь клоунскую песню, например, на такие слова:

Дружно песенку поем,
Весело играем:
Мы по цвету клоунов
Вместе собираем!

— Очередь теперь чья?
— Твоя!
— Есть красный цвет?
— Нет!
— Синий есть — мне отдай!
— Нужен красный? Получай!

— Очередь теперь чья?
— Моя!
— Есть желтый цвет?
— Нет!
— Есть зеленый — мне отдай!
— Нужен желтый? Получай!

Так и будем, так и будем,
Так и будем мы играть,
Пока клоунов по цвету
Не удастся нам собрать!

День рождения

Понадобятся:

- синий и красный картон
- проспекты из магазина игрушек и каталоги товаров (по два экземпляра)
- ножницы
- клей
- карандаш и фломастеры
- краски
- фанерка или картонка
- пробки вместо фишек или самодельные фигурки разных цветов
- самоклеющаяся прозрачная пленка
- цветной кубик

Нарисуйте на картонке или фанерке аппетитный торт (можно его срисовать с картинки).

Если вам не захочется брать для игры пробки, вылепите из пластилина специальные фигурки. Игра начинается с того, что дети стараются придать этим фигуркам как можно больше сходства с членами семьи или с детьми в группе. Бабушка может быть ростом немного поменьше, чем дядя Володя, а живот у папы, к примеру, побольше, чем у мамы. Когда дети сделают 6— 8 фигурок, подготовку к игре можно продолжить.

Теперь сделайте карточки для игры. Пусть дети вырежут из проспектов и каталогов по шаблону (квадратик картона 10 х 10 см) вещи либо игрушки, которые им хотелось бы получить в день рождения как подарок. Каждой вещи должно быть по две, то есть пара. Чтобы дело шло быстрее, вы должны помочь детям стричь и резать. Вам понадобится 30 подарков для маленьких детей, 30 для больших и 30 для взрослых — или, говоря иначе, для всех по 15 пар. Не стенайте, эта работа окупится сполна! К тому же, согласитесь, иногда так приятно повырезать в свое удовольствие вместе с детьми... Когда будет вырезано 45 двойных подарков, наступает следующий этап. Каждый подарок нужно наклеить на лист синего и красного картона, а затем все обклеить прозрачной самоклеющейся пленкой и снова разрезать по старым размерам. Стопку красных карточек положите на поле «Магазин», а синих — рядом с игровым полем, обе стопки картинкой вниз.

С помощью кубика узнаем, у кого сегодня будет день рождения. Тот, кому выпадет красный, начинает. Красный — у Саши! Теперь его можно поздравить как «новорожденного». Он ставит свою фигурку на игровое поле и выбирает из стопки синих карточек три подарка. Карточки Саша кладет на торт (см. рисунок) так, чтобы подарков не было видно.

Все остальные — гости Саши, они пришли к нему праздновать «день рождения». Дети ставят свои фишки на старт. Сначала они должны купить Саше подарок. Тот, кому выпадет синий цвет, идет в банк и получает там деньги (их надо заранее

вырезать из синей цветной бумаги). Пачка с деньгами тоже должна лежать рядом с игровым полем. За «деньги» можно купить в магазине подарки. Но туда играющий может попасть, только если ему выпадет зеленый цвет. Из синей пачки теперь выбирается подарок — тот, который, возможно, и хотел бы получить Саша.

Если выпал желтый цвет, дети наконец могут «запрыгнуть» на торт и поздравить Сашу (конечно, если они уже успели купить в магазине подарок): «Поздравляю, дорогой Саша, ты это хотел получить в подарок?» Саша проверяет, совпадает ли подарок с его закрытыми подарками на торте. Если он скажет «да», можно гордиться: у вас есть одно очко. Если «нет» — придется попытать счастья заново. Первый тур окончен, если дети угадали все три подарка Саше. Тогда все поют здравицу. В следующий раз подарки выбирает другой ребенок, и игра начинается сначала. У кого в конце окажется больше всех очков, тот выиграл и будет «именинником».

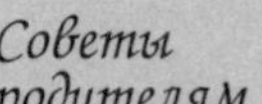

В этой игре дети должны понять, почувствовать желания друг друга. В нее особенно хорошо играть в кругу семьи. Если группа детей слишком большая, играть можно по двое и вместе отгадывать желания «новорожденного».

Спрячь собаку!

Понадобятся:

- каталоги и журналы (по две штуки) или упаковочная бумага для подарков
- прозрачная клеющаяся пленка
- кисточка
- ножницы
- картон
- большие круглые крышки от банок
- краска-эмаль
- наждачная бумага
- баночки из-под кофе

Вырежьте вместе с детьми из журналов, каталогов или упаковочной бумаги яркие узоры, которые вам понравятся. Каждый узор должен быть продублирован. Размер вырезанного узора должен совпадать с размером крышки от банки. Наклейте его на картон. Чтобы защитить узоры от пятен, оклейте получившиеся круглые карточки пленкой.

Крышки разрисуйте яркими красками, чтобы они выглядели повеселее. Великолепный эффект дает «размытая техника» росписи. Делают ее так. Накладывают основной фон, а затем на еще не просохшую краску капают краской другого цвета. Крышку поворачивают туда-сюда так, чтобы краски перетекали друг на друга. При желании можно отчистить наждачной бумагой жестяную коробочку и раскрасить ее тем же способом. Коробочка может понадобиться для хранения крышек и кружков с узорами. Теперь перемешайте кружочки и разложите их на столе или на ковре узорами или картинками вверх. У игроков есть две минуты, чтобы запомнить, где какая картинка лежит. А потом закройте картинки крышками. Кто-нибудь из детей начинает и поднимает четыре крышки. Если под ними нет ни одной пары, он снова закрывает картинки. Если пара есть, он может взять ее и закрывает только оставшиеся картинки. Кто соберет больше всего пар, выйдет победителем.

Правила этой игры тоже можно изменять по своему желанию. Например, можно оставлять у себя все открытые картинки, даже если они не парные. Когда все картинки будут открыты, победителем будет тот, у кого благодаря случаю окажется больше всего парных карточек. Такое правило игры особенно подходит для самых маленьких игроков.

И пожалуйста, не забудьте после игры убрать все в красиво расписанную коробочку!

Сокровища пока лежат на песчаном пляже. Кто доставит в гавань больше всех сокровищ?

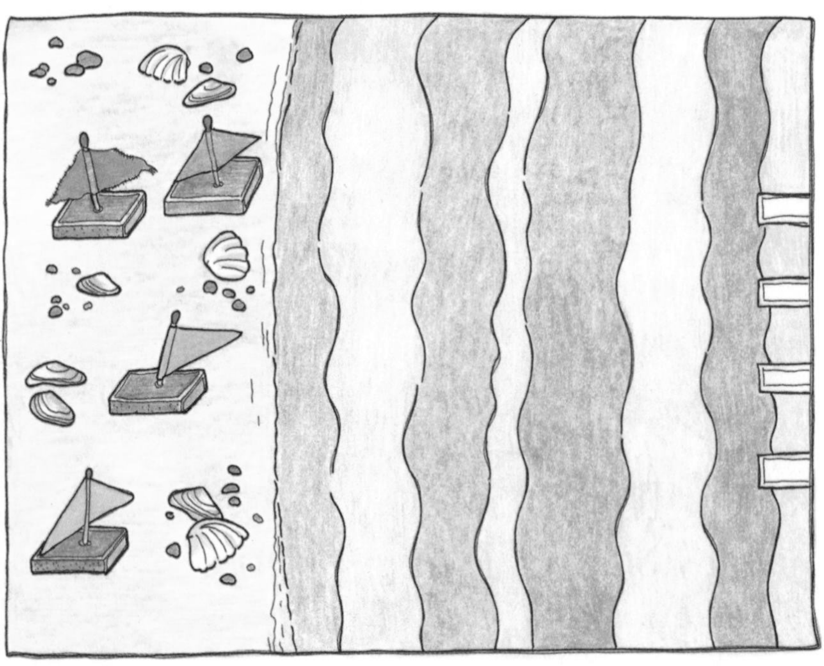

Корабли в пути

Понадобятся:

- пустые коробочки из-под спичек
- спички
- кусочки ткани
- бумага и ножницы
- фанерка или картонка
- краски или фломастеры
- раковины
- золотые блестящие камешки
- кубик

Для начала распишите игровое поле на треть желтым цветом: это будет песчаный берег, и на две трети синим цветом: это море. Затем из коробочек, спичек и ткани (либо из бумаги) смастерите маленькие кораблики. Раковинки, привезенные когда-то из отпуска, разложите на «пляже».

Маленькие камешки «позолотите» краской и тоже раскидайте по «пляжу» рядом с ракушками. Кораблики детей, готовые к выходу в море, стоят у причала на противоположном крае игрового поля. Им предстоит пробиться сквозь волны к берегу, взять на борт груз и вернуться в гавань. До начала игры нужно подготовить кубик, оклеив его бумагой и нарисовав на противоположных сторонах глаза, от одного до трех, чтобы плавание длилось подольше. Теперь бросайте кубик. Один глазок означает продвижение на одну «волну» вперед, а на побережье можно высадиться только в том случае, если выпадет точно нужное число волн. Кому удалось причалить, может загрузить к себе на борт один камень или ракушку. Кораблик с грузом должен идти под парусом снова в гавань, чтобы там выгрузить свою поклажу. Когда побережье опустеет, выигравшим будет тот игрок, который перевезет на своих кораблях больше всего сокровищ.

Подкидной дурак

Понадобятся:
- картон
- ножницы
- прозрачная клеющаяся пленка
- фотоаппарат и пленки
- клей
- уголь, немного сажи или черный грим

Неужели всегда играть обыкновенными, скучными картами? Игральные карты для себя можно сделать и самим. И тогда вы можете назвать новую игру «Черный папа», «Черная Лиза» либо «Черная бабушка» (как «Черный Петер» — немецкий подкидной дурак. — *Примеч. пер.*) Для этого сфотографируйте всю свою семью (или всех детей из группы) дважды. Первый раз так, как есть: потом каждый будет выглядеть на фотографии так, как выглядит обычно. А второй раз лицо фотографируемого надо украсить несколькими черными пятнами. Первый, нормальный снимок напечатайте дважды, а второй, с черными пятнами, только один раз. Фотографии наклейте на картон и обтяните свои новые карты прозрачной пленкой. Хорошенько перемешайте колоду. Играют все двойные карты, но черная только одна. Ее нужно вытянуть из стопки с черными картами не глядя. Карты раздайте игрокам. Каждый по очереди тянет одну карту у своего соседа справа. У кого получится пара карт, тот откладывает ее в сторону. Тем временем «черный Костя» дважды сменит владельца. В конце игры он останется у кого-нибудь на руках, и тот, кто изображен на «черной» карте — в данном случае Костя, — может разрисовать проигравшего черным цветом. Выигрывает тот, у кого отложено больше всего парных карт. Сыграем еще разок! Вот тянут черную карту... А вдруг на этот раз выпадет дядя Володя?

Сумасшедшее семейство

Понадобятся:
- фанерка или картонка
- ножницы
- прозрачная клеющаяся пленка
- фотоаппарат и пленки
- клей
- кисть и краски
- карандаш
- линейка
- пробки
- шапка
- эмаль, масляная краска
- кубик

Начните развлечение с придумывания темы для снимков посмешнее. Может быть, родители разок сыграют в детей, наденут их шапки, попьют из соски своего младшенького, посидят на горшке с мишкой в обнимку. А дети переоденутся в бабушкину ночную сорочку, папин костюм и шляпу, мамино платье. Всех нужно сфотографировать.
Отдайте пленки проявлять и попросите сделать с каждого кадра по две фотографии. По одному снимку наклейте на игровое поле на финише. Из вторых экземпляров игроки потом будут тянуть себе по одному. Теперь им ясно, к какой цели стремиться, однако они должны сохранять это в тайне. Но пока не хватает и других карт для игры. На картонках напишите задания, которые надо выполнить, — например, скорчить рожу, рассказать анекдот или смешную историю-небылицу, высунуть язык и косить глазами целую минуту. Пробки раскрасьте разными цветами и поставьте в начало игрового поля. Теперь можно начинать.
Как подсказывает название игры, в ней все происходит ненормально. Ходят иногда не вперед, а назад, удачу приносит не шестерка на кубике, а единица.
Итак, в начале игры каждый участник вытягивает карточку, на которой указана его цель. В середине стола лежат перевернутые карточки с заданиями. Теперь тот, кому выпадет единица, тянет карточку с заданием и говорит, кому его исполнить.
Тот, кому выпало «шесть», должен сам выполнять задание. Если он не желает «заниматься всякой ерундой» или у него не получается, он пропускает два хода и сидит в углу как «собака» или должен залезть под стол.

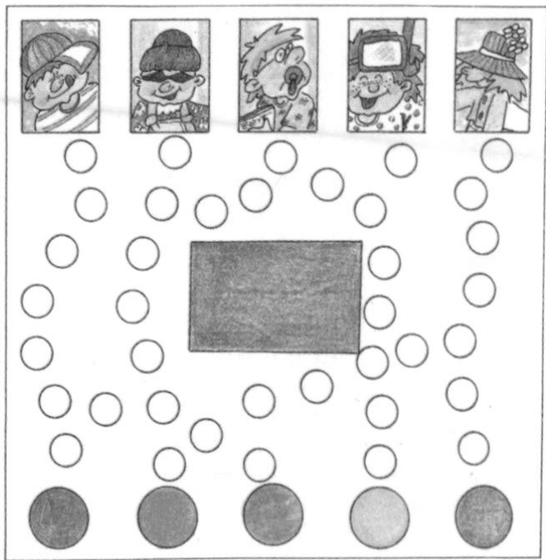

Если же он, ко всеобщему удовольствию, выполняет задание, то может продвинуться сразу на четыре хода вперед!
Тот, кому выпало «три», надевает на голову шапку так, чтобы ему ничего не было видно, берет какую-нибудь из пробок и переставляет ее. Так, понятно: Лена вскрикнула — значит, ей придется начинать почти с самого начала.
Если игрок все-таки дойдет до своей цели, его будет горячо целовать тот, кто изображен на фотографии. Порой лучше бы до этой цели и вовсе не дойти!

Советы родителям

Во время этой игры стоит обычно шум и гам. Чтобы не дать детям совсем уж разойтись, время от времени нужно вводить две минуты тишины: в это время все должны постараться быть серьезными; друг на друга смотреть можно, но смеяться и разговаривать нельзя.

Шеф-повар

Понадобятся:

- от 4 до 6 кастрюль (лучше старые, уже не употребляемые)
- журналы с кулинарными рецептами
- 4— 6 деревянных ложек на длинной ручке
- пустые солонки и перечницы или стеклянные баночки с крышечками, наполненные цветной посыпкой для тортов или мелким цветным драже
- пустые коробки из-под разных продуктов
- краска
- ножницы
- клей
- папка-скоросшиватель
- белая (тонкая) картонка
- белая гофрированная бумага
- посудное полотенце

Раскрасьте поварешки в разные цвета. Вырежьте из журналов изображения разных продуктов. Сделайте карточки 10 х 10 см. Вырезайте сначала только отдельные продукты, а не готовые блюда. Кроме того, дети должны знать их. Очень подходят для этой цели рекламные буклеты из супермаркетов, на которых можно найти овощи, маргарин, яйца, молоко, фрукты, вермишель и макароны, колбасы, сыр и так далее.
Вам понадобятся и изображения готовых блюд размером 20 х 10 см. Их можно найти среди кулинарных рецептов в разных журналах. Лучше, если это будут простые блюда, состав которых несложен и каждая составляющая уже известна детям. Если в журналах вы не найдете подходящих блюд или их будет недостаточно, можно и самим что-то нарисовать.
Кроме того, вам понадобится несколько карточек с нарисованными или наклеенными на картоне яркими сердечками.

Все рисунки наклейте на картон. При желании карточки обтяните прозрачной пленкой.
Если захотите, можно сделать дополнительно еще и поварские колпаки.

1. Из тонкой плотной бумаги вырежьте для каждого игрока полоску шириной 5—7см. Длину выбирайте в зависимости от объема головы на уровне лба.

2. Из полоски сделайте колечко и закрепите края или склейте их.

3. К колечку приклейте широкую полосу из гофрированной бумаги. Верх колпака тоже закрепите или склейте.

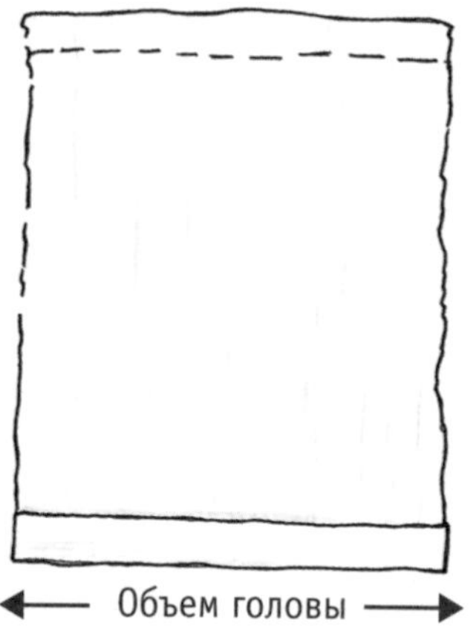

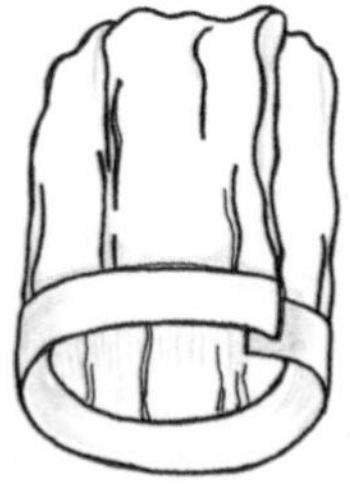

Теперь можно начинать! Картинки с изображениями готовых блюд лежат, прикрытые посудным полотен-

Интересно, для какого блюда это пригодится?

цем. Каждый тянет себе одну карточку и продумывает, что ему понадобится для приготовления этого блюда. Картинки с продуктами заранее положите в коробки из-под продуктов. Каждый игрок имеет право по очереди вытянуть для себя одну карточку. Если она ему не нужна, он кладет ее на прежнее место; если же она пригодится — то в свою кастрюлю. А если ему попалась карточка с сердечками, он может приправить свое блюдо цветной посыпкой! Кто первым соберет необходимые продукты и с любовью приготовит свое «блюдо», получит звание шеф-повара.

Играть можно не только с картинками, но и с хорошо сделанными из соленого теста изображениями разных продуктов. Картофель, яйца, колбаса, овощи и фрукты — все это можно отлично вылепить и раскрасить. Для теста возьмите 3 части муки, 1 часть соли, 1/3 часть воды. Фигурки сушите в духовке 30 м при температуре 60 °С.

Советы родителям

Уже при подготовке игры нужно обсудить с детьми, какие продукты понадобятся для приготовления тех или иных блюд — например блинов, макарон с соусом из помидоров, картофельного пюре, яичницы, риса с курицей, овощного супа, фруктового салата или пирога. Во время игры надо дать детям возможность самим решать, подойдет ли данный продукт для приготовления их блюда.

А следующая игра не требует столь мощных приготовлений.

«Шнип-шнап!»

Понадобятся.

- белый картон
- фломастеры
- клей
- ножницы
- ксерокопии разрисованных карточек

Разрежьте картон на 40 карточек размером 9 x 6 см. Дети должны нарисовать на них разные картинки. Каждую картинку надо отксерокопировать трижды. Копии наклейте на картон и разрежьте на отдельные карточки размером 9 x 6 см.

Оригиналы переверните и положите на стол. Карточки-копии перемешайте и раздайте детям. У каждого перед собой должна лежать пачка картинкой вниз. Игра начинается! Откройте карту в центре стола. Одновременно дети берут одну карту из своей стопки и кладут ее рядом с оригиналами. Кто первый заметит, есть ли среди открытых карт повторение оригинала, тот громко кричит: «Шнип-шнап!» — и имеет право забрать себе все открытые карточки. Победит тот, кто к концу наберет больше всех карточек.

Блюдо из мозаики

Понадобятся:
- большие изображения готовых блюд из журналов
- ножницы
- картон
- клей
- прозрачная пленка
- поварешка
- краска
- кастрюли
- цветной кубик

Вырежьте из журналов большие фотографии разных аппетитных блюд, наклейте их на картон, обтяните прозрачной пленкой. Разрежьте картинки на квадратики 5 x 5 см и положите их в кастрюлю. Раздайте игрокам разноцветные поварешки. Бросайте кубик. Если выкинется красный, а у игрока окажется еще и красная ложка, то он достает ложкой из кастрюли карточки и берет себе. Кому выпадет черный, может обменяться с другим игроком своими кусочками мозаики. Победит тот, кто первым сложит блюдо из кусочков мозаики.

Дорога на лесной праздник

Понадобятся:
- много пробок
- краска
- тонкая кисть
- карандаш и линейка
- фанерка (отрезанная по нужному размеру) или плотный картон
- камни
- белая бумага
- ножницы
- кубик с символами (его можно сделать самим)

Сначала нарисуйте карандашом на фанерке (см. рисунок) изображение игрового поля. Цель игры — принять участие в большом празднике зверей в лесу. Поэтому на нижней части игрового поля рисуйте клетки старта, а на противоположном конце — деревья, воздушные шарики и зверей. Можно вырезать картинки из журналов и наклеить их. В лес ведет много тропинок. На одних клетках лежат камни, которые затрудняют продвижение вперед, на других — маленькие клочочки бумаги, которые надо подбирать по дороге.
Итак, начинаем, взяв свои цветные пробки. Кубик бросайте по очереди. Кому выпадет значок «Камень», может убрать с дороги камень, закрывающий проход. Ведь в лес вы попадете, только устранив все препятствия. Если вам выпал знак вопроса, кто-нибудь из игроков может вас спросить что-ни-

будь на лесную тему, например: «Какие звери живут в лесу?» или «Какие ты знаешь деревья?» Вопрос, конечно, зависит от возраста игрока. Если игрок сможет ответить, он имеет право продвинуться на один ход вперед. Если выпал значок «Дерево», можно продвигаться вперед до такого же значка на игровом поле. Не повезет игроку, которому выпадет значок «Бумага»: он должен отступить на клеточку, где лежит клочок бумаги, и подобрат ь его. Победит тот, кто первый точным броском выйдет на праздник в лесу.

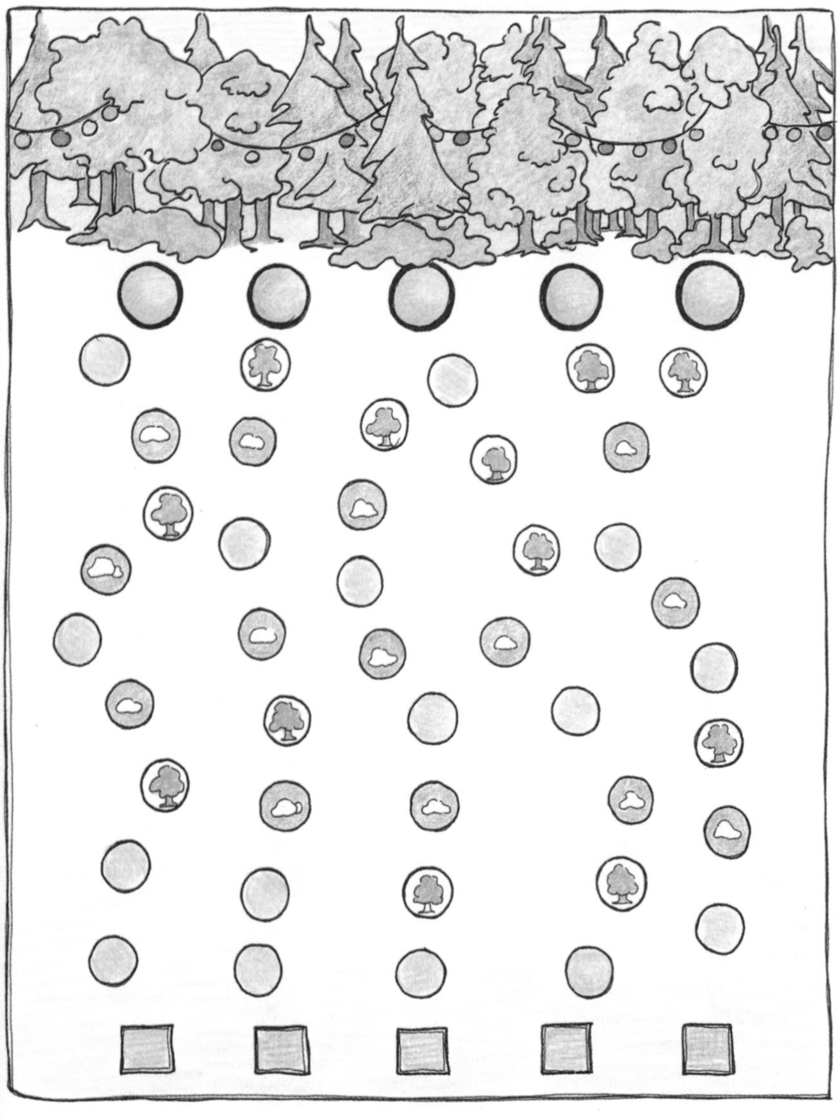

Советы родителям

Организуя послеобеденные игры, вы должны сделать следующее.

1. *Отобрать побольше игр, которые, по вашему мнению, доставят детям удовольствие.*

2. *Следить за чередованием подвижных и спокойных игр.*

3. *Предусмотреть, чтобы вам самим эти игры тоже нравились, — это важно, так как заражает игроков.*

4. *Приготовить заранее все, что нужно для игры.*

5. *Продумать загодя ход игры и учесть возникновение возможных проблем.*

6. *Как можно лучше изучить правила игры.*

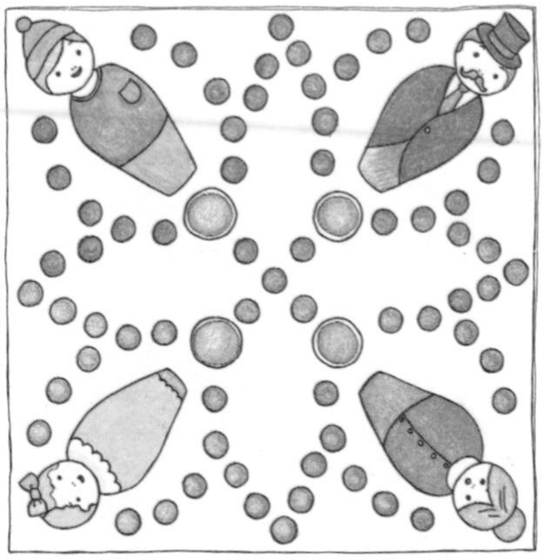

Меняемся пуговицами

Понадобятся:
- десять коробок (из-под спичек, пачки от сигарет и так далее)
- 10 пробок
- 100 пуговиц
- большой кубик с точками
- картон или фанерка
- кисточка
- ножницы
- толстый фломастер
- карандаш
- линейка

Раскрасьте на картонке или фанерке игровое поле, как на рисунке. Коробки, пуговицы и пробки красьте эмалью так, чтобы по десять пуговиц, по одной коробке и по одной пробке были десяти разных цветов. Разложите пуговицы по цвету в коробки (10 красных пуговиц — в красную коробку и так далее). Каждый игрок берет себе пробку и коробку с пуговицами одинакового цвета. Содержимое этих коробок высыпьте и перемешайте. Каждый игрок с закрытыми (или завязанными) глазами берет себе по 10 пуговиц и кладет в свою коробку. У него образовалась пестрая смесь, и ему придется собирать свой цвет, меняясь с другими детьми.

Итак, пуговицы в коробки положены. Игроки ставят свои пробки на стартовое поле своего цвета. Первый проходит вперед на столько ходов, сколько точек на кубике. При этом нужно постараться встретиться с кем-нибудь на «смешанном поле». Если это удалось, можно меняться пуговицами. Каждый должен собрать свой цвет. Выигрывает тот, кто первым соберет все 10 пуговиц.

Вариант. Для игры можно придумать и другие правила, например: каждый игрок должен собрать по 2 пуговицы всех цветов, участвующих в игре.

Веселый карнавал

Понадобятся:
- грим (помада или коробка с разными цветами грима)
- газетная бумага
- клейкая лента
- краска
- старые очки (без стекол)
- картонка из-под яиц
- лента или резинка
- ленточки для упаковки
- картон или фанерка
- раскрашенные в разные цвета пробки вместо фишек
- цветной кубик

Играя в эту игру, вы сможете много раз в году праздновать карнавал. Сделайте игровое поле таким же нарядным и веселым, как на картинке. Затем подготовьте носы и шляпы. Чтобы сделать картонные носы, вырежьте старые ячейки из-под яиц, покрасьте их красной краской и снабдите двумя завязками или резинкой. Шляпы сделайте из двойных газетных страниц так:

1. Разрежьте сложенную двойную страницу по диагонали и используйте только двойной треугольник, не распадающийся на два листа. Сначала раскрасьте его ярко и весело.

2. Теперь сверните из него колпачок, начиная с вершины и подгоняя размер к объему головы. Склейте колпак клейкой лентой. Отогните выступающие углы и тоже приклейте их липкой лентой.

3. Украсьте кончик колпачка змейками из ленточек.

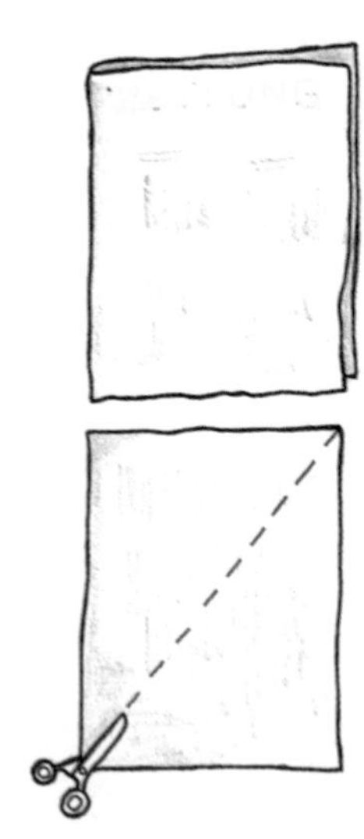

Во время «карнавала» лица участников игры постепенно покрываются цветными точками.

Конечно же, колпачки можно сделать из цветной бумаги или картона.

Ну, можно начинать! Каждый ребенок получает пробку, кубик бросают по очереди. Если Лизе, например, выпадет красная сторона кубика, то она может нарисовать игроку с красной фишкой красную точку на лице. Но только одну! Если выпадет синяя сторона, игроку с синей фишкой придется гримироваться в синий цвет. К концу все получат еще и по одному красному носу, колпаку и очкам. Каждый бросок кубика продвигает игрока вперед только на один ход. Игра окончена, когда одна из фишек-пробок дойдет до цели. Для этой игры игровое поле не обязательно. Можно перед началом каждой игры просто рисовать всем игрокам точки на носу. Кубик бросают по очереди. Например, если кому-нибудь выпадет желтый, то Костю — с желтой точкой на носу — можно разрисовать дополнительно или нарядить его. Выиграет тот, кто первым полностью будет готов к карнавалу. Игру можно расширить, приготовив побольше вещей для переодевания и карнавала.

Когда все окончательно готовы, можно поднять и без того уже хорошее настроение веселой песней, например, на такие слова:

Мы играли, мы играли
В развеселый карнавал.
Так себя разрисовали,
Что никто нас не узнал!
Ане, Юле и Наташе
Начертили мы усы!
Маме, бабушке и Саше
Мы приклеили носы!

А теперь бросим кубик и посмотрим, кому выпадет идти на улицу наряженным!

Игры на отгадывание

Я вижу кое-что красного цвета, чего ты не видишь!
— Сердечки на занавесках?
— Нет.
— Лампу из кукольной комнаты?
— Нет.
— Шапку Олега?
— Нет.
— Головки булавок из бабушкиной корзинки для шитья?
— Да!

Молодец, угадал! В эту старинную игру можно играть везде и всюду: она разгоняет скуку и доставляет удовольствие. А лучше всего она действует, отвлекая внимание, если Петя снова ссорится с Аней из-за кубиков или Коля печально забился в угол.

Есть еще целый ряд игр на отгадывание. Вот некоторые из них.

Угадай, кто это

Тот, кто начинает, выбирает кого-то из игроков и описывает его так: он маленький, веселый и темноволосый. Все смотрят друг на друга. Может, это Рита? Аня? Костя? Если никто не может угадать, описание нужно уточнить: на этом человеке черные лакированные туфли, красная кофта и в волосах заколка. Теперь, конечно, всем ясно, что это Юля.

Советы родителям

Описания должны быть подольше выдержаны в общих чертах, чтобы дети могли пристальнее присматриваться друг к другу. Конкретные черты желательно включать в описание только тогда, когда игроки начнут проявлять нетерпение.

Угадай профессию

В этой игре принимает участие не менее четырех детей. Разделите их на две группы и поставьте на некотором расстоянии друг против друга. Одна группа тихонько совещается, какую профессию она будет представлять: например, летчика. Потом дети этой группы подходят к другой группе и говорят примерно следующее:

— Мы идем из восточных стран.
Солнце обожгло нам кожу,
и мы стали выглядеть как мавры.
Другая группа спрашивает:
— Что вы за люди, скажите нам правду.
Те отвечают:
— Мы люди честные!
Вторая группа говорит:
— Покажите нам свое ремесло!

Тогда дети из группы, задумавшей профессию, начинают пантомимой, то есть без слов, изображать летчика. При этом команды стоят всего в нескольких шагах друг от друга. В тот момент, когда профессия будет отгадана, исполнители пантомимы быстро отбегают на исходную позицию. Если те, кто угадал, по дороге их поймают, в следующий раз они будут играть в новой команде. Если пойманными оказались все игроки, игра начинается заново, но команды меняются ролями.

Отгадывать профессию можно и в более спокойном варианте.

Вариант 1. Детей делят на две группы. Первая группа уходит из комнаты и договаривается за дверью, какую профессию она будет сейчас представлять. Если вторая группа угадает правильно, она получает очко. Вместо того чтобы считать очки, можно раздавать картонные носы или колпаки. Команда, в которой все дети первыми получили носы или колпаки, выиграла.

Вариант 2. А теперь сыграем в отгадывание профессий.

Понадобятся:

- газеты
- клей
- воздушный шарик
- краски
- тонкий цветной картон или бумага
- нож
- упакованные в сеточку шоколадные медальки
- 20 бумажных «золотых» монет

Надуйте воздушный шарик и разорвите на клочки газету. Обрывки смешайте с клеем, чтобы получилась клейкая, но не слишком мокрая масса. Эту массу равномерно нанесите на шарик. Когда масса высохнет, раскрасьте свое произведение в розовый цвет — в том случае, если дети не захотят сделать свинью зеленой или красной. Наклейте на рыльце два глаза, пятачок и уши из тонкой бумаги или картона. Чтобы свинья была устойчивее, сделайте ей четыре ножки из картона. Теперь не хватает только прорези в спине. Прорежьте ее острым ножом, а в брюхе осторожно проделайте отверстие побольше. Вырезанный кусочек будет крышечкой от этого отверстия. Закрепите его на матерчатой клейкой ленте.

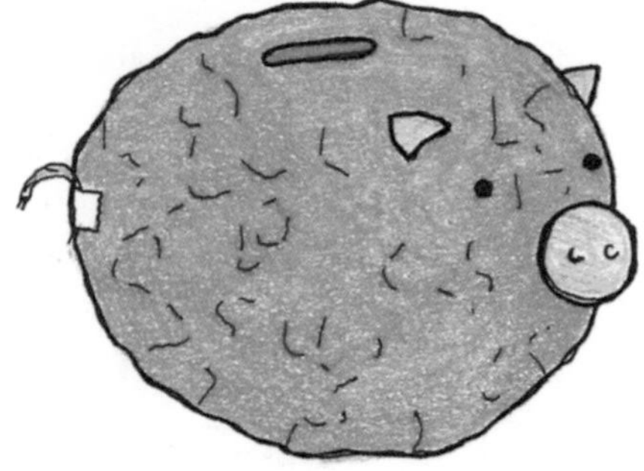

Теперь начнем! В центре стоит стул, рядом с ним — свинья из папье-маше. Один из детей шепчет на ухо ведущему название профессии, которую нужно угадать, и садится на стул. Он делает рукой быстрое движение, которое как-то связано с этой профессией. Остальные должны гадать: «Ты во время работы пачкаешься?», «Ты помогаешь людям?», «Ты что-нибудь продаешь?»… При каждом «нет» ведущий пичкает свинью «золотой» монеткой. Когда дойдет до двадцати, их можно обменять на одну шоколадную медальку, и игра окончится. Ребенок раскроет тайну своей профессии и может съесть свою шоколадную медальку. Среди заинтересованных детей выбирают следующего кандидата. Если кто-нибудь из игроков угадает профессию раньше, он может съесть шоколадную медальку и сам загадать профессию.

Со свиньей можно поиграть и в другие отличные игры (см. далее).

Повезло!

Понадобятся:
- 20 «золотых» монеток из бумаги
- свинья из папье-маше

Все дети, кроме одного, садятся в кружок. Каждый получает равное количество «золотых» монет. Один из детей сидит повернувшись спиной к группе. Дети могут петь веселую песенку — например, на такие слова:

Я на солнышке сижу,
Свинку я в руках держу,

Подержу-подержу
И монетку положу...

Свинью передают из рук в руки. Тот, кто сидит спиной к детям, говорит: «Стоп!» Игрок, у которого свинья в этот момент в руках, должен успеть сунуть в нее «золотую» монетку. Не успел — значит, проиграл и выходит из игры. Кто останется последним, будет победителем.

Советы родителям

Ругательства или бранные слова не должны быть дискриминирующими или оскорбительными. Важно, чтобы дети почувствовали: в жизни есть место и таким эмоциям, но нельзя переступать границу. Дети не только с удовольствием ссорятся, они еще любят трогать руками такие вещи, к которым мы, взрослые, испытываем отвращение. Такую возможность им предоставляет следующая игра.

«Ты — свинья!»

Следующее предложение найдет отклик у тех, кто любит подурачиться, — а это вовсе не обязательно должны быть только дети. Ведь вообще любая игра, в особенности для нас, взрослых, это хорошая возможность дать волю таким чувствам и настроениям, которые мы обычно подавляем.

Каждый придумывает ругательное слово, на этот раз, в виде исключения, не про других, а про себя самого. Это слово должно быть известно ребенку, составлять часть его повседневной лексики. Его можно заранее обсудить шепотом вместе с руководителем игры в уголке комнаты. Если все дети уже придумали свои слова, можно начинать. Мы садимся в кружок вокруг одного из детей — «свиньи», у которого прикреплено свиное рыльце из розового картона (сделано из картонной трубочки или ячейки для яиц и резинок) и булавкой приколот к штанам свиной хвостик. Он выкрикивает одно за другим ругательные слова. Если кто-то из детей слышит, что речь идет о нем (то есть если их слова совпадают), то он отвечает: «Ты — свинья!» — и идет в центр круга, чтобы сменить «свинью» и в свою очередь угадывать, кто же сидит вокруг него — «чайник», «косой» или «придурок».

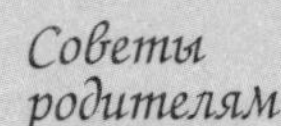

Советы родителям

Когда дети играют друг с другом, они часто дурачатся, с удовольствием безобразничают, много ссорятся и спорят. Это нормальное для них поведение в игре. Если же вместе с детьми играют взрослые, они себя останавливают, так сказать, автоматически, игра проходит спокойнее и по правилам.

Свинство

Понадобятся:
- скользкое мыло
- вареные макароны
- мокрая губка
- липкая грязь в кулечке
- блестящая клейкая масса
- колючие фрукты (крыжовник, авокадо)
- платки

Для игры будут нужны вещи, неприятные или даже отвратительные на ощупь. Дети всегда найдут что-нибудь из перечисленного, поэтому вам беспокоиться об этом не придется. Можно отыскать и еще что-нибудь в том же роде. Двое из детей пусть соберут все это, а остальные пока пусть пребывают в неведении.

Команде отгадчиков, которая вызовется добровольно, завязывают глаза. Им передают предметы из липкой коллекции, они должны переходить из рук в руки. К визгу и писку приготовьтесь заранее. Когда каждый из команды прикоснется к этому «свинству», снова все спрячьте. Кто запомнил и отгадал больше всего предметов, выигрывает. В качестве приза он может получить, например, мышку из мягкой массы (марципановую). А живую белую мышку можно осторожно пустить побегать по плечу бабушки Кати — но только в том случае, если у нее действительно здоровое сердце!

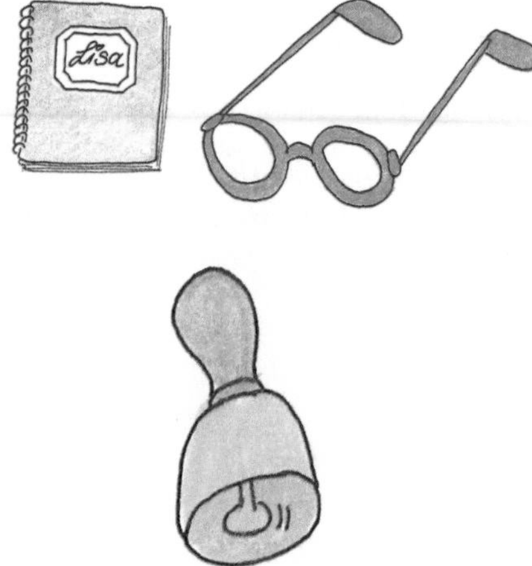

Учитель

Понадобятся:
- оправа от очков
- колокольчик
- школьные тетради
- фотографии детей
- фломастеры и ручки

Сначала наклейте фотографии на обложку тетрадей так, чтобы каждый ребенок получил свою персональную тетрадь. Придумайте какой-нибудь веселый вопрос, например: *«Какой кран не может ничего поднять*?» Кто первый ответит, что *водопроводный*, может побыть учителем.

Учитель стоит или сидит на стуле. Дети рассаживаются перед ним, как в школе, в два ряда. Учитель важно надевает на себя оправу от очков и смотрит поверх нее строго и мудро. Теперь можно начинать «урок».

Учитель задумывает какое-нибудь слово, которое дети должны угадать, например: *«вокзал»*. Но описывает он это слово так, чтобы «ученики» не сразу догадались, о чем идет речь. Может быть так: *«Туда идут, когда собираются уезжать. Множество людей несут в руках чемоданы. Если прийти слишком поздно, будут неприятности»*. Если кто-то правильно называет слово, он может поставить себе отметку в тетради — галочку или черточку. Когда урок окончен, учитель собирает тетради и звонит в колокольчик. Перемена! Учитель смотрит, кто больше всех набрал галочек. Этот ученик теперь может проводить следующий урок и загадывать новые слова. Когда ребятам надоест играть, объявляются летние каникулы.

«Настя, какое слово я только что подробно описал?» — спрашивает учитель.

Другой способ — сосчитать горошины до начала игры, может быть, с помощью бабушки, если ведущий сам умеет считать только до трех. Дети наверняка придумают, что еще можно посчитать. Например, сколько пустых бутылок из-под пива дядя Володя спрятал под диван или сколько метров шерсти получится из колючего свитера Кости, если его распустить. Но, пожалуйста, заранее подумайте о том, чтобы не причинить какого-нибудь ущерба, — для подобной «оценки» явно не годится дорогой мамин свитер из ангорской шерсти.

Угадай, сколько горошин

Понадобятся:

- много горошин (сырых или размороженных), или бобов, или пуговиц
- емкость
- листок бумаги и карандаш или ручка
- зубочистки
- тарелка

На середину стола поставьте большую банку с горошинами (корзинку с бобами, коробочку с пуговицами). Игроки должны оценить, сколько горошин находится в банке. Дайте время на размышление — и пусть каждый назовет одно число, которое вы запишете. Маленькие дети, еще ничего не знающие о числах, могут просто гадать напропалую — это порой бывает очень весело. Чтобы понять, кто из детей оценил количество горошин точнее, есть два способа. Первый: дайте каждому ребенку тарелку и зубочистку, пусть дети накалывают горошины на зубочистку — кто быстрее — и кладут их на тарелку. У кого кучка будет самая большая, тот станет принцем или принцессой на горошине. Ведущий считает кучки, складывает их и определяет победителя. Его и будут чествовать. А потом дети, возможно, захотят сварить из горошин гороховый суп для своих медвежат.

Советы родителям

Игры в угадывание, развивающие чувственные ощущения, чрезвычайно важны для ребятишек. Они помогают детям стать более чуткими. В этих играх совершенствуется их повседневный опыт, ведь, как уже говорилось, они познают окружающий мир, пробуя его на ощупь, на вкус, на запах. Детям доставляет огромное удовольствие угадывать предметы, прикасаясь к ним и ощупывая их, прислушиваясь к разным шумам вокруг и наблюдая за переменами в ведущем, в которого они внимательно всматриваются. О таких играх и пойдет речь в дальнейшем.

Ну что там у Филиппа может быть под рубашкой? Уж не банан ли?

Нащупанный банан

Понадобятся:

- ✽ разные предметы

Дети садятся в кружок. У каждого под кофточкой или рубашкой что-нибудь спрятано. Один из детей пытается на ощупь угадать, что же там такое. Когда он ощупает и угадает примерно половину предметов, можно назначить другого игрока, который продолжит угадывание.

Для детей постарше возможен более сложный вариант. Они должны не сразу называть угаданные предметы, а только когда уже ощупают все, что спрятали игроки. Это хорошо тренирует память.

Ну а теперь займемся игрой с запахами.

Угадает ли Филипп, что держат у него под носом?

Где любимые духи тети Тани?

Понадобятся:

- разные предметы, различающиеся по запаху
- платок
- поднос или стол

Одному из игроков завязывают глаза. Он должен доказать, что обладает хорошим нюхом, иначе «останется с носом».
На подносе или на столе положите разные вещи, пахнущие по-разному, например: сыр, клей, цветок, папины тапочки, тетушкины духи, зубчик чеснока, уксус. Если схулиганить, можно положить и тухлое яйцо. Но этого, конечно, лучше не делать, вполне достаточно и пропахнувшего потом свитера.
Игрок, который собирается доказать, что он может доверять своему носу, должен по запаху угадать какой-нибудь один предмет. Если он угадает все предметы, то ему разрешат надушиться любимыми тетушкиными духами. Игру придется продолжить с другими предметами. Ну, начнем. Чей нос первый?

Следующая игра подходит для любителей хорошо покушать.

Шоколадный пудинг или подгоревшее картофельное пюре?

Понадобятся:

- продукты и сласти
- платок

Посадите детей полукругом. Поставьте на стол много вкусных вещей, которые они уже знают. Одному из детей завяжите глаза. Кто-нибудь из играющих подносит ему разные изысканные блюда — скажем, мороженое, разную жвачку, пересоленный гороховый суп, шоколадный пудинг, соленое печенье, макароны, половинку лимона. Всем будет интересно не только узнать, угадает ли он, но и то, какая будет реакция на суп и лимон.

Кто лучше слышит?

Перед началом игры запишите на магнитофон разные звуки и шумы вокруг себя. Если их окажется мало, можно придумать какие-нибудь звуки и шумы дополнительно.
Дайте послушать запись игроку, который при ней не присутствовал. Он должен отгадать, что слышит: поет ли это птица или издал звук один из игроков? Конечно, такое задание ребенок выполнит, как говорится, одной левой. Тогда предложите ему задание посложнее: пусть он слушает, но сразу не говорит, какие звуки отгадал; игрок должен запомнить все звуки и в конце перечислить их на память по порядку. Кто слышит лучше всех?

И еще одна игра на отгадывание, в которой важен хороший слух.

Кто же это был?

Понадобятся:

- магнитофон и кассета

Один из детей в начале игры выходит из комнаты. Другой говорит, резко изменив голос, какую-нибудь фразу и записывает ее на магнитофон. Затем первого ребенка приглашают войти и угадать, кто говорил. Если ему удастся это, говоривший выходит за дверь. Если нет, он может попробовать угадать еще раз.

А теперь давайте посмотрим, останется ли дядя Володя в своем прежнем галстуке.

Обмен одеждой

Дети садятся в кружок и внимательно смотрят на одежду друг друга, стараясь ее запомнить (на Косте лиловая рубашка, а на Ане красная юбка). Миша выходит за дверь. Несколько игроков меняются между собой разными частями одежды. Миша снова входит. Он должен определить, на ком надеты чужие вещи и кому они принадлежат. Сразу бросится в глаза, если мальчик Саша, например, наденет юбку Ани. Не так заметно, когда меняются носками.

Если немного подумать, вам наверняка придет в голову еще много игр, в которых важны слух, зрение, вкус и запах.

Мне все ясно

Понадобятся:

- карманные фонарики
- кружочки желтой бумаги

Все сидят в темном помещении. У каждого игрока фонарик. Ведущий задает вопрос: *«Как называются хрюкающие создания?»* Кто первым догадался, что речь идет о свинье, включает свой фонарик. Итак, кому же первому все станет ясно? Ему, конечно, полагается награда — «кружочек света» из желтой бумаги.

Затем ведущий задает следующий вопрос: *«Как в сказке лягушка становится прекрасной принцессой?»* Все задумываются. И если вдруг одновременно зажгутся сразу три фонаря, ведущему не останется ничего другого, кроме как задать еще вопрос, потому что даже если все знают правильный ответ, победит тот, кто первым зажжет свой фонарик и докажет тем самым, что на него первого нашло озарение.

Кто наберет больше всего очков, станет победителем.

Игры на концентрацию внимания

Дождик за окошком...
Я сижу в тоске.
Спит на кресле кошка.
Поиграть бы... С кем?
Даже телевизор
Нагоняет грусть:
Я ведь каждый мультик
Знаю наизусть.
Позвоню-ка другу:
— Приходи скорей!
Вместе «оторвемся» —
Станет веселей!

Песенку можно петь на любой мотив. Она может стать как бы выстрелом из стартового пистолета во время игр в группах с детьми или же перед игрой с вашим собственным ребенком. Иногда так хорошо, сидя вместе с детьми — неважно, в широком или узком кругу, — перепробовать подряд разные дурашливые игры и игры на концентрацию внимания. При этом важно начинать с самых веселых игр, чтобы и большие, и маленькие дети получше «разогрелись» и игра пошла вовсю.

Внимание, он приближается!

Понадобятся:
- какой-нибудь предмет, который можно передавать из рук в руки
- проигрыватель или радиоприемник

Дети стоят в кружок как можно плотнее друг к другу. Они передают из рук в руки мягкую игрушку или еще какой-нибудь предмет, пока звучит музыка. Каждый старается как можно быстрее освободиться от игрушечного зверя (дайте ему имя). Как только музыка остановится, тот, у кого игрушка останется в руках, выходит из игры.

Советы родителям

Надо приготовиться к тому, что во время игры даже самые спокойные дети визжат и кричат от возбуждения и напряжения. Чтобы несколько остудить страсти, поиграйте с ними в веселую игру — в ложки.

Веселая игра в ложки

Понадобится:

- на одну ложку меньше, чем участников игры

Пусть участники игры сядут в кружок на корточках на полу, руки за спиной. Посредине по кругу положите ложки (на одну меньше, чем участников). Ведущий рассказывает историю, которая могла бы начинаться приблизительно так:

Жила-была одна семья. Фамилия их была Ложкины...

Услышав слово «ложка», дети должны как можно быстрее схватить одну из ложек. Кому ложки не досталось, выбывает из игры. Затем ложки снова кладут на прежнее место, и игра продолжается. Не забудьте при этом отложить одну ложку в сторону (либо две или три, в зависимости от того, сколько игроков). А потом история продолжается:

Однажды в воскресенье Ложкины решили сходить куда-нибудь пообедать всей семьей. Каждый нарядно оделся, только маленький Олег не захотел расстаться со своей пижамой. «Если ты немедленно не оденешься, то получишь ложкой по лбу!» — сказал папа, рассердившись. Но Олег упрямо стоял на своем. Бабушка сказала: «А мы с тобой после обеда будем есть на десерт мороженое маленькими ложечками» — и уговорила внука. Олег переоделся, и все сели в машину. Кафе называлось «Золотая ложка». Там все было очень красиво, а официанты вели себя необыкновенно солидно. За одним из столов сидела толстая дама с рыжей собачонкой, а напротив нее худой господин, ее муж, который облизывал свою ложку. «Взгляни, дорогая, — сказал он толстой даме, увидев, как семья Ложкиных садится за столик. — Удивительно, сколько детей — и всего одна собака!» Подали еду. Только папа собрался налить маме стаканчик вина, как пес Мопси потянул за скатерть. Хаос вышел отменный. На пол полетели тарелки, вилки, ножи, стаканы и ложки. Прибежал официант, ужасно взбудораженный. Только после того как папа Ложкин за все заплатил, официант смог успокоиться. Семье Ложкиных пришлось уйти из кафе. Они пошли прямиком к палатке, где продавали сосиски, поели жареных колбасок, очень вкусных. Только Мопси ничего не получил: в наказание ему пришлось просто смотреть.

«Жила-была одна семья, фамилия их была Ложкины...»

Вместо ложек можно поиграть в другие предметы, например в каштаны, плюшевых зверей, кубики и так далее. Важно только, чтобы они находились от всех детей на одинаковом расстоянии. Дети непременно должны держать руки за спиной и обращаться друг с другом осторожно, бережно. А выдумать историю вовсе не так уж трудно. Она вполне может быть длинной, но обязательно интересной и веселой.

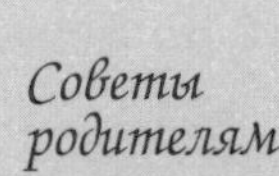

Советы родителям

Рассказывая историю, время от времени нагнетайте напряжение, сознательно избегая слова «ложка». А когда дети увлекутся содержанием рассказа, можно неожиданно для них снова произнести: «Ложка!» Такая игра отлично поднимает настроение.

Почтовая карета

Понадобится:
- платок

Поставьте детей в круг. Одного из них посадите в центре с завязанными глазами. Он будет кучером почтовой кареты. Каждый из игроков громко произносит название какого-нибудь города, например: *«Москва!», «Петербург!»*. Кучер объявляет: *«Почтовая карета идет из Петербурга в Москву. Садитесь, пожалуйста!»* Игроки, раньше назвавшие эти города, должны быстро поменяться местами между собой. В этот момент кучер попытается поймать кого-нибудь из них. Тот, кого удалось поймать, в свою очередь, тоже может побыть кучером, и поездка продолжается от города к городу. Если ребенку трудно запомнить названия всех городов, взрослые должны помочь ему.

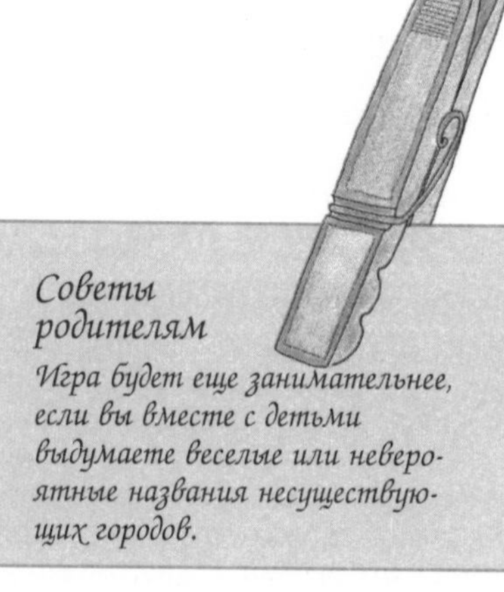

Советы родителям

Игра будет еще занимательнее, если вы вместе с детьми выдумаете веселые или невероятные названия несуществующих городов.

Колечко

Понадобятся:
- шнурок длиной в зависимости от числа участников
- кольцо

Прежде чем связать концы шнурка, проденьте его сквозь кольцо. Посадите детей в кружок, положите шнурок им на колени. Дети должны незаметно от игрока, сидящего в центре, передавать колечко по шнурку от одного к другому (не обязательно вперед, можно иногда и вернуть назад). При этом неплохо бы петь песенку примерно на такие слова:

Ты беги, колечко,
От руки к руке...
Ну-ка, догадайся,
У кого кольцо?

Игрок в центре должен постараться понять, в чьей руке в данный момент колечко. Если он подозревает кого-то, то произносит: «Стоп!» Если его подозрение оправдывается, в круг садится угадывать, у кого кольцо, тот ребенок, у которого кольцо нашли.

Дядюшка из страны Фантазии

Понадобятся:

- разные предметы домашнего обихода (кусок мыла, махровая тряпочка, щетка для ногтей, губка)
- кожура от банана
- нитка

Дядюшка из страны Фантазии рассказывает о своих фантастических приключениях.

В комнате темно. Горит только свечка на столе, вокруг которой сидят дети. Руки они держат под столом. Один из играющих будет дядюшкой из страны Фантазии. У него есть десять минут, чтобы найти побольше разных предметов и сложить их в корзинку.

Дядюшка рассказывает историю своих приключений в стране Фантазии. Там происходят странные вещи: например, он встретил иглокожих свиней. В этот момент под столом из рук в руки передается щетка для ногтей. (Нельзя давать ей упасть! Даже если поднимается страшный шум, щетка должна вернуться обратно к дядюшке.) Скользкие волшебные змеи переползали ему дорогу. (Теперь очередь кожуры от банана.) Летучая мышь (кусок шелка) пролетела мимо, а когда он пробирался через пролив, его коснулась медуза (кусок влажного мыла).

По ходу рассказа все предметы превращаются в волшебные существа, населяющие страну Фантазию. Фантазия действительно не знает границ!

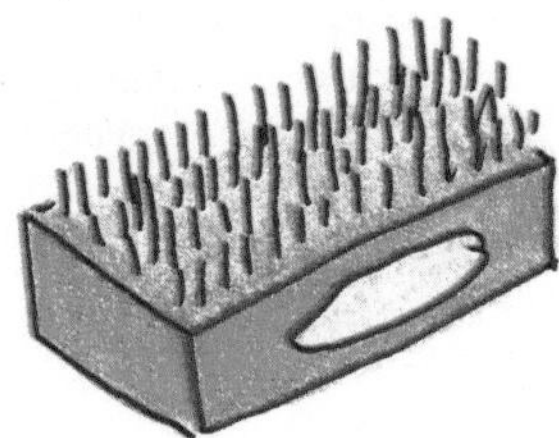

Советы родителям

Для этой игры важно, чтобы вы создали атмосферу спокойствия и сосредоточенности. В первый раз роль дядюшки должен взять на себя взрослый. Когда дети постепенно проникнутся игрой, поймут ее ход, дядюшкой может стать и ребенок. Для нового захода придется найти новые предметы или придумать для прежних новые истории.

Игра про чудовище, которого никто не знает

Понадобятся:

✽ два одеяла

Двух детей посылают за дверь. Один из них возвращается в комнату, закутанный в одеяло, и бегает по кругу на четвереньках. Дети не знают, кто из ребят вернулся в комнату. Второй игрок должен, к сожалению, всю игру провести за дверью.

Ведущий рассказывает тем временем историю о чудовище, которое забыло свое имя. На самом деле это заколдованный человек. Есть только одна возможность вернуть ему его прежний облик. Дети должны все вместе попытаться отгадать, кто же находится под одеялом. Они могут задавать разные вопросы — например о свойствах характера, пристрастиях, внешности: *«Чудовище, ты любишь яичницу?»*, или *«Ты любишь играть в машинки?»* , или же *«У тебя волосы темные?»*.

Так продолжается до тех пор, пока кто-нибудь из играющих не решит, что он уже знает, кто прячется под одеялом.

«Чудовище» в ответ должно только кивать или отрицательно мотать головой. Если кто-нибудь из детей угадал правильно, он может стать волшебником и расколдовать «чудовище» (то есть снять с него одеяло). Затем он имеет право назвать следующего игрока, который выйдет за дверь. Ну, а теперь можно «колдовать», и снова появляется один из двух вышедших детей... Если же угадывающий ошибется, игра продолжается дальше.

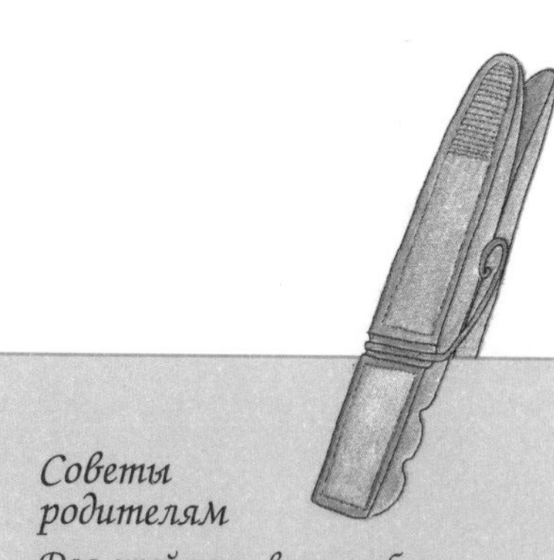

Советы родителям

Для этой игры важно объяснить детям, что они имеют право задавать вопросы только о личности игрока, но не о его имени («Тебя зовут Оля? У тебя длинное имя? И так далее).

Загадочное колдовство

Понадобятся:

- волшебная палочка
- по возможности проигрыватель или магнитофон

Дети расходятся по комнате. Они бегают, ходят во всех направлениях. Затем входит «волшебник». Он крадется среди детей. Его волшебная палочка прикасается ко всем детям по очереди. Всем, к кому «волшебник» прикасается палочкой, он шепчет на ухо, в кого те должны превратиться. Но сначала всякий, кого коснулась палочка, должен застыть на месте.

После того как все уже «заколдованы», «волшебник» заманивает детей поодиночке на свой волшебный луг. Там начинается их превращение, и они должны показать, кем теперь стали. Если зрители угадают, о чем речь, то колдовство теряет силу. Когда все будут освобождены от колдовских чар, игра начинается снова с другим «волшебником».

Когда «волшебник» входит в комнату, можно включить подходящую музыку. Если хотите сделать игру еще увлекательнее, музыку можно выключать всякий раз, как будет заколдован очередной игрок.

История с роботами

Сначала нужно настроить детей на игру, рассказав им подходящую историю.

Мы ходим по комнате и подражаем движениям роботов. Трое детей назначаются роботами-детективами. Остальным детям ведущий шепчет на ухо команды. В зависимости от числа игроков двое или трое должны получить одни и те же указания, которые им придется выполнить с помощью пантомимы. Можно задать и целые фразы, которые роботы будут без остановки повторять отрывистыми роботскими голосами.

Задача детективов заключается в том, чтобы определить, какие роботы получили одно и то же задание. Если они все вместе пришли к единому мнению, они делят роботов на группы. Вот тут-то и обнаружится, что это за детективы: новички-ученики или же асы. Теперь роботы одной группы по сигналу должны выполнить свое задание. Если при этом кто-нибудь один не впишется в общую картину, то детективов немедленно увольняют со службы.

Если детективы правильно определили группы, то роботы должны постараться выполнить свое задание синхронно.

Ерунда

Понадобятся:
- много мелкой фасоли
- миски
- камешки, покрашенные в разные цвета

Дети садятся вокруг игрока, около которого стоит миска и лежат фасоль и камешки. Ведущий рассказывает историю, где время от времени встречаются невероятные или бессмысленные вещи. Дети все вместе должны определять, имеет ли смысл то, о чем в данный момент рассказывается. Если все «правильно», тому, кто сидит в середине, сообщают, что он должен положить в миску фасоль; если «неправильно» — камешек. Перед началом игры нужно обязательно договориться об условных знаках, потому что разговаривать нельзя. Впрочем, во время игры дети могут объясняться с помощью мимики и жестов. Другая миска у ведущего. Он заранее кладет в нее нужное количество камешков и фасолинок, означающих неправильное и правильное число ответов. Когда история рассказана до конца, ведущий сравнивает содержимое своей миски с тем, что получилось у детей. Если количество фасолинок и камешков в обеих мисках не слишком сильно отличается друг от друга, то все получают конфеты.
Ведущий, к примеру, может рассказать такую историю.

Однажды дедушке приснился сон, будто его кровать и будильник разговаривают между собой. Кровать сказала: «Эй, будильник, ты опять завтра утром будешь звенеть?» Будильник ответил: «Конечно, буду. Дедушке завтра рано вставать, он должен идти кормить скотину на скотном дворе. Ему надо следить, чтобы свиньи хорошо яйца несли, куры молоко давали, а коровы пили яблочный сок». — «Да ладно, — сказала кровать, – дай дедушке поспать! Он ведь всегда недоволен, когда ему приходится рано вставать. А мне всегда так тепло, когда он спит». — «Ну хорошо,— ответил будильник, — я не буду звенеть».
И дедушка спал до тех пор, пока вдруг в дверь не постучали. В дверях стояла бабушка с помидором в руках. Она громко пролаяла. «Ты с ума сошел — так долго спишь! – воскликнула она. — Я сейчас запущу помидором в твою голову, если ты немедленно не встанешь! Куры собрались яйца нести, корова хочет давать молоко, а свиньи желают слушать радио. Вся скотина тебя ждет!» Дедушка сразу встал. Он почистил нос зубной пастой, натянул ботинки и за завтраком намазал себе хлеб кремом для обуви. Когда дедушка пришел в коровник, все коровы весело смеялись. Оказывается, ожидая, пока дедушка проснется, они рассказывали друг другу анекдоты, и из-за того, что дедушка встал так поздно, ничего плохого не случилось.

Вариант. Игру можно организовать и так, чтобы перед каждым ребенком стояла своя миска. В конце игры дети могут сравнить количество камешков и фасолинок, которые оказались у каждого из них.

Зверский хаос

Понадобятся:
- наклеенные на картон изображения животных (каждого из них по нескольку штук)

Дети вытягивают по одной карточке. Ведущий дает команду, и все подражают звукам, которые издают эти животные. Теперь важно определить, кто из животных родственники друг другу. Ведущий может при этом (если позволит «зверский шум») рассказать подходящую историю. Речь в ней может идти о жизни животных в дикой природе, о безобразиях браконьеров или жадности охотников, о том, что такое Красная книга и как люди взяли животных под свою охрану.

Автогонки

Понадобятся:

- по маленькой картонной коробочке на каждого игрока
- бинты
- маленькие палочки или карандаши
- конфеты

Оберните бинтом бока каждой коробочки и на одной из коротких сторон завяжите его узлом. Концы бинта должны быть одинаковой длины. К ним привяжите маленькие палочки. В коробочки положите конфеты. По команде «Старт!» игроки должны начать закручивать бинты на палочки, притягивая к себе свои коробочки. Напряженные автогонки сопровождает рассказ комментатора (ведущего), который описывает телезрителям опасные повороты, обгоны, хитрости водителей, напряженные ситуации, грозящие опасными авариями, и так далее. При этом о каждом водителе речь должна идти один раз.

Поиск сокровищ

Понадобятся:

- картонная коробка
- золотая бумага
- клей
- шоколадные медальки в золотой фольге
- бумага
- ручка
- ножницы
- конверты

Оклейте картон золотой бумагой. Сделайте из него коробочку — это будет сундук для сокровищ. Наполните его шоколадными медальками. Ведущий должен «закопать» этот сундук (но так, чтобы дети не видели, в каком месте) где-нибудь в комнате, а потом нарисовать очень простой план, на котором указать расположение сундука с сокровищами. Затем он разрезает план на столько частей, сколько детей участвует в игре, кладет каждую часть в конверт и вешает все конверты на видное место.

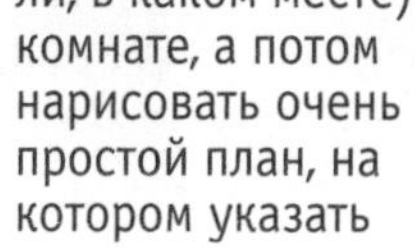

Теперь ведущий рассказывает увлекательную историю о тайно зарытых сокровищах.

Каждый ребенок берет себе конверт и вытаскивает часть плана. Игроки должны все вместе попытаться сложить карту с описанием пути к сокровищам. Когда эта сложная часть работы окажется позади, начинается поиск сундука с сокровищами. Найденные золотые медальки делят по справедливости.

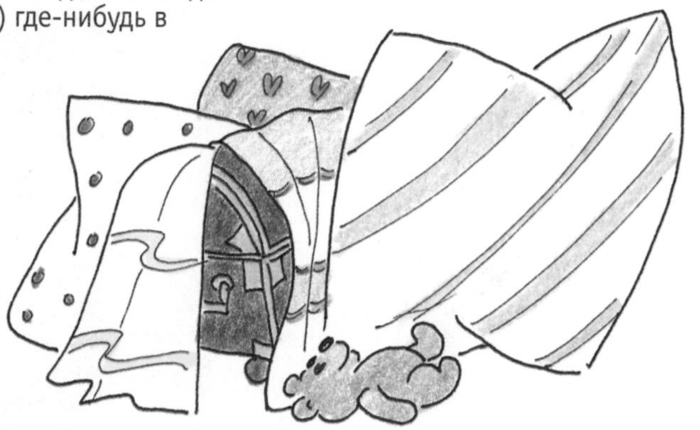

Животные джунглей

Понадобятся:
- много картинок с изображениями животных, которые живут в джунглях
- булавки

У половины играющих детей закрепите на спине картинки с изображениями животных. Никто из них не должен знать, какое животное там изображено. Вначале ведущий рассказывает о жизни в джунглях. При этом он заводит речь о разных звуках, издаваемых животными, и шумах, которые там слышны.
Дети с картинкой на спине и дети без картинки собираются в пары (один с картинкой, один без). Ребенок без картинки должен постараться объяснить своему партнеру жестами и мимикой, какое именно животное тот должен изображать. Через некоторое время ведущий дает команду, и дети изображают каждый свое животное. В конце каждая пара должна хорошенько порычать — так чтобы джунгли содрогнулись от страха.
Игру можно бесконечно трансформировать: животные могут быть из зоопарка, с фермы и так далее.

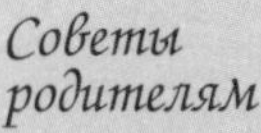

«Можно ли догадаться по рукам, поднятым над головой, что я жираф?»

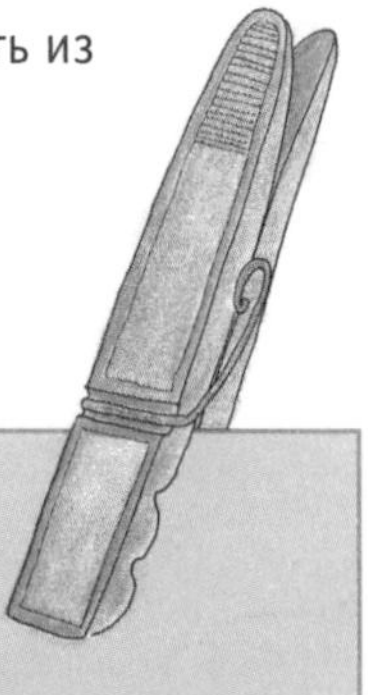

Советы родителям

Маленьким детям животные должны быть известны заранее. Поэтому прежде чем играть, им нужно показать картинки и рассказать о повадках животных, которые там изображены.

Выкладывание картинок

Понадобится:
- примерно по 50 см шнура на каждого участника игры

Дети, у которых есть терпение и фантазия, с удовольствием выкладывают из шнура разные узоры. Кто-нибудь из детей предлагает, например, изобразить лодку на реке, слона в цирке или женщину в длинном платье. Тот, кому это удастся лучше всех, может придумать новое задание.

Где будильник?

Понадобится:

- ✽ громко тикающий будильник

Все дети выходят из комнаты. Кто-нибудь прячет громко тикающий будильник. Если играют совсем малыши, будильник нужно поставить на блюдце, чтобы его было лучше слышно. Дети возвращаются и ищут будильник. Если кто-то его нашел, то не должен говорить, где он: надо молча сесть на пол. Ребенок, который остался стоять последним, в утешение может в следующий раз сам спрятать будильник.

Электрик

В этой игре должно принимать участие не меньше шестерых детей. Троих посылают за дверь: они будут электриками. Остальные договариваются, какой предмет в комнате или кто из присутствующих будет изображать «объект неполадки». Если потом «электрик» прикоснется к этому предмету или игроку, все громко завизжат.

Итак, «электрик» входит в комнату. Все произносят *«С-С-С-С-С-С»*, чтобы повысить напряжение. «Электрику» говорят: *«Все помещение находится под высоким напряжением. Тебе это даже слышно. В проводке, к сожалению, есть нарушение. Ты, как электрик, должен найти неполадку»*. Ребенок начинает осторожно прикасаться по очереди к предметам и игрокам, которые продолжают шипеть. Напряжение растет, когда «электрик» приближается к «объекту». Если он к нему прикасается, все дети громко взвизгивают. Электрик получает удар электрическим током — и первый тур окончен. Можно выбрать новый «объект неполадки» и вызывать другого электрика.

Во время следующей игры в помещении тоже «высокое напряжение». Только теперь придется искать не разрыв в проводке, а тикающий будильник.

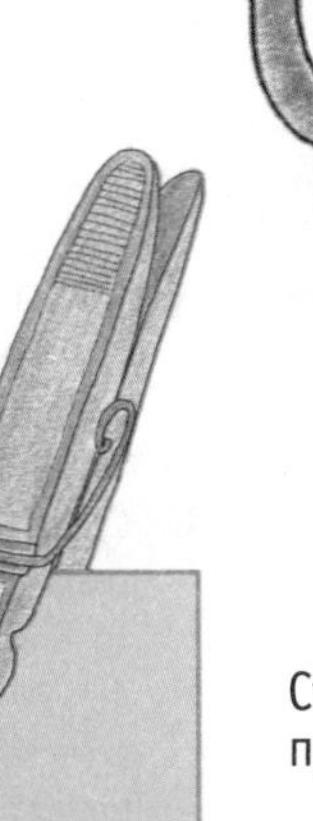

Советы родителям

Чередование тишины и визга доставляет детям большое удовольствие. Нужно только договориться с ними и не слишком сильно пугать «электриков». Если некоторые из детей, играя, чересчур разойдутся, уместно сделать перерыв.

Старинная и по сей день очень популярная игра — «Бутылочка».

Бутылочка

Понадобится:
- бутылка

Дети садятся в кружок. Ведущий берет бутылку и, прежде чем раскрутить ее, предлагает задание, например: проскакать на одной ножке, пропеть песенку, похлопать в ладоши, что-нибудь сосчитать или принести. Ребенок, на которого укажет горлышко бутылки, должен выполнить задание и потом сам придумать новое.

Вариант 1. В начале игры дети застывают, как окаменевшие фигуры: сидят не шевелясь. Ребенок, на которого покажет горлышко, может снова двигаться и крутить бутылку.
Вариант 2. Понадобится немного сладкого в виде забавных животных из марципана или жевательного мармелада в форме фруктов. В этом варианте игра идет как раз наоборот. Сначала определяют, кто будет вертеть бутылку: он становится в центр круга. Все остальные игроки стоят вокруг него, но при этом двигаются на месте. Ребенок, на которого укажет горлышко, должен застыть в том положении, в каком его застала бутылка. Ведущий, вращающий бутылку, кладет ему в рот что-нибудь из сладкого. Но сладкое должно немного выглядывать изо рта, и съесть его можно будет только тогда, когда все дети получат свою долю вкусненького.
Можно сыграть и по-другому, а как — пофантазируйте вместе с детьми.

Другая старинная и любимая немецкая игра называется «Бедный черный кот».

Детям будет интереснее, если ее немного изменить. Главным персонажем пусть будет смешной клоун.
Приготовьте разные вещи для переодевания и сложите их в картонную коробку или в ящичек.

Понадобятся:
- сделанные из ячеек для яиц раскрашенные картонные носы
- шляпы (см. далее указания, как их изготовить)
- расписанные краской для тканей или по трафарету старые рубашки и майки взрослых
- грим для клоунов
- свитера с высоким воротом
- ручное зеркало

Вот как сделать четыре разные шляпы.
Для **моделей 1, 2, 3** вырежьте по рисунку детали из тонкого цветного картона и склейте вместе зубчатые края. Для **модели 4** вырежьте из ткани две одинаковые детали и сшейте их по пунктирной линии.
Еще проще можно сделать клоунский колпак, используя картинку на с. 92.

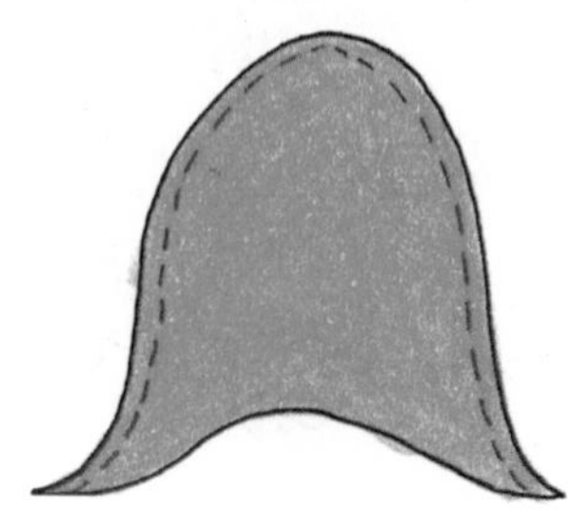

Смешной клоун

Понадобятся:
- вещи для переодевания

Дети садятся в кружок. Ящик с вещами для переодевания стоит посередине. Чтобы узнать, кто будет клоуном, пусть дети посчитают или бросят жребий: опыт показывает, что желающих играть эту роль чрезвычайно много. Ребенок, которому выпало быть клоуном, может выбрать себе пеструю рубашку, полосатый свитер или еще какую-нибудь веселую одежду и переодеться в нее. Еще он выбирает себе шляпу, берет грим и просит кого-нибудь из игроков нарисовать ему клоунское лицо. Ну, теперь можно начинать! Клоун встает перед кем-либо из детей и корчит рожи. Смеяться можно всем, но только не тому ребенку, перед которым стоит клоун. Он серьезно говорит:

Ты можешь очень долго кривляться,
Но я ни за что не буду смеяться!

Если ребенку удастся не засмеяться, он может стать следующим клоуном.

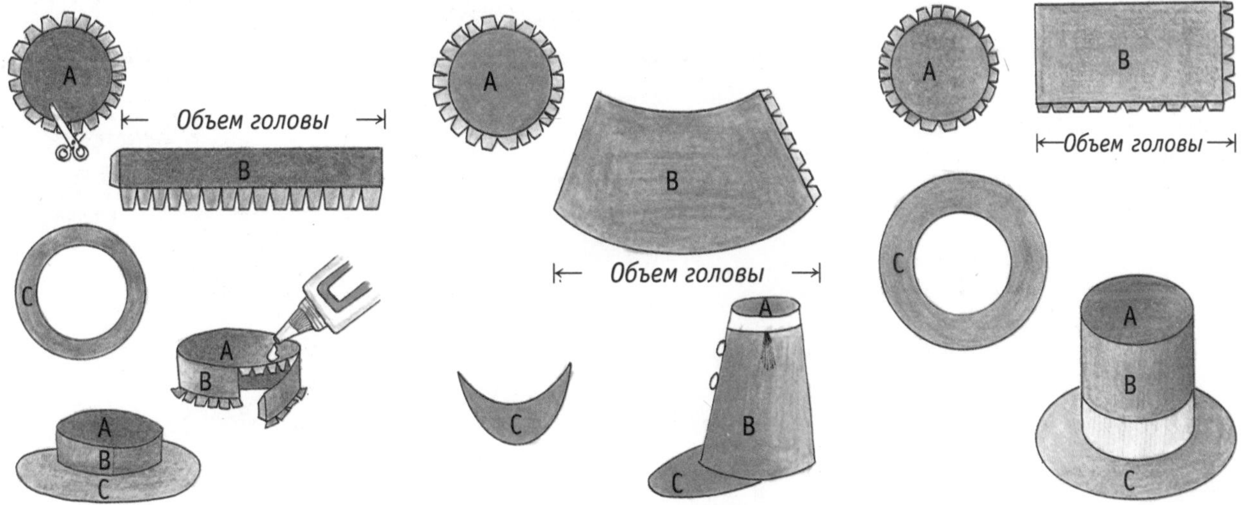

Еще веселее, если в вашем ящике найдутся вещи для всех участников игры. Тогда под конец игры в кружке будут сидеть только веселые клоуны. И почему это детям разрешается так восхитительно развлекаться только раз в году, на карнавале?

Рассмешит ли клоун еще и третьего игрока?

Песня о небылицах

В этой песне происходят необычные вещи. Кто в них не верит, должен просто сделать серьезное лицо. Сначала мне бы хотелось познакомить вас с песней, а потом рассказать, как можно поиграть. Ее можно петь на мотив какой-нибудь известной вам песенки.

К нам в полночь как-то вор залез,
Подарки бросил — и исчез.
Ты веришь мне, что было так?
Ты веришь мне, что было так?
Не веришь — сам дурак!

Я мимо кухни проходил,
Смотрю — а в мойке крокодил!
Ты веришь мне, что было так?
Ты веришь мне, что было так?
Не веришь — сам дурак!

К нам ходит старый почтальон,
Собак всегда кусает он!
Ты веришь мне, что было так?
Ты веришь мне, что было так?
Не веришь — сам дурак!

Однажды видел я, как Юля
Скакала на блохе в кастрюле.
Ты веришь мне, что было так?
Ты веришь мне, что было так?
Не веришь — сам дурак!

Тарелка по миру пошла,
В салат креветок набрала.
Ты веришь мне, что было так?
Ты веришь мне, что было так?
Не веришь — сам дурак!

Селедка ночью не спала,
Ежа в милицию сдала.
Ты веришь мне, что было так?
Ты веришь мне, что было так?
Не веришь — сам дурак!

Официант в кафе служил,
Со всеми мухами дружил.
Ты веришь мне, что было так?
Ты веришь мне, что было так?
Не веришь — сам дурак!

Хозяин Шарика — бульдог
Испек с букашками пирог!
Ты веришь мне, что было так?
Ты веришь мне, что было так?
Не веришь — сам дурак!

Да, бывают вещи, в которые просто невозможно поверить! И тем не менее вдруг после этой игры у вас будет желание выдумать свою историю-небывальщину.

Свисток

Понадобятся:
- заливистый свисток на шнурке
- платок

Один из участников игры водит. Ему завязывают глаза. Потом осторожно, чтобы он ничего не почувствовал, вешают на шею свисток и предлагают определить, у кого свисток находится. Время от времени кто-нибудь подкрадывается к водящему и свистит в свисток. Тот бросается к ближайшему игроку из круга — но у него, конечно, свистка нет. Наверняка потребуется время, чтобы водящий понял, что свисток висит у него на шее.

«Хеннаа лыхогафка»... Странная болезнь! Кто поймет эту тарабарщину?

Небывальщина

Понадобятся:
- монетки

Дайте каждому по монетке. Один из детей начинает говорить «ерунду», например:

Сегодня утром ем я свой зеленый бутерброд, и вдруг раздается какой-то шум. Оказалось — это тарахтит мотоцикл моей бабушки. Она тренировалась в курятнике. А дедушка в это время катался во дворе на своих новых роликах.

Каждый из детей должен придумать по три таких предложения. Если у ребенка не получится, ему придется отдать свою «ерундовую монетку». У кого в конце все еще сохранится его монетка, тот выиграл.

«Моя бабушка заболела»

Понадобятся:
- соленые палочки или спички

Дети садятся в кружок или рядочком. Соленые палочки разломите на три части и выдайте каждому ребенку по одной. Теперь все должны придумать какую-нибудь болезнь и прошептать ее название на ухо соседу справа. Тот должен это название запомнить.

Начинает один из детей. Он вставляет себе в рот, между верхними и нижними передними зубами, палочку так, что рот оказывается довольно широко раскрыт. Затем говорит изменившимся голосом: *«Послушай, моя бабушка заболела»*. А другой, тоже вставив палочку между зубами, отвечает: *«Ну и ну, и что же с ней случилось?»*

Первый ребенок называет болезнь, которую ему прошептал на ухо ведущий, например: *«Сенная лихорадка»*. Сосед пытается повторить название болезни. Если он не понял, то спрашивает еще раз: *«Что с ней?»*

Первый повторяет название болезни до тех пор, пока другой не сможет повторить его за ним. Можно добавить и описание болезни. Но нужно все время держать палочки между зубами. Просто разговаривать, конечно, каждый может. Если название болезни выговорено правильно, игра продолжается. *«Моя бабушка заболела». – «Что с ней?»* Может быть, на этот раз приступы кашля?

Игра окончена, когда каждый сыграл по разу. Прелесть игры «Моя бабушка заболела» становится явной, когда к игре немного приспособишься. Поначалу она может показаться детям не очень интересной. Однако в ней есть дополнительная возможность побеситься вне установленного правилами игры общения.

Звери в темноте

Понадобятся:

- ✽ фломастеры
- ✽ картон
- ✽ журналы
- ✽ клей
- ✽ ножницы

Нарисуйте вместе с детьми по два одинаковых зверя на картонных карточках (собак, кошек, птиц, мышей, свиней, ослов, кур, тигров). Можно вырезать их и из старых журналов. Если вам попадется, к примеру, всего одна картинка с кошкой, можно отксерокопировать или сфотографировать ее. Важно, чтобы каждый зверь был представлен дважды. Перемешайте карточки. Теперь каждый из детей должен вытянуть по одной. Погасите свет. В темноте каждый из зверей проявляет себя — чтобы было ясно, кого же дети вытянули. Дикое хрюканье, кваканье, мяуканье, гогот и лай стоят в комнате. Затем все ищут родственников. Когда пары находят друг друга, они могут сесть рядом с ведущим. Уж не осел ли останется в одиночестве?

После шумной игры в животных далее предлагаем вам игру поспокойнее, с четкими правилами.

Советы родителям

Обязательно обратите внимание на то, чтобы число участников было четным, а в игре участвовали только парные карточки. Никогда не забуду, как в полной темноте шипела бедная «змея» одна-одинешенька и не могла никого найти себе в пару, пока мне не пришло в голову, что второй карточки и не было!

«Я луна, а ты звезда!»

Понадобятся:
- стулья (на два больше, чем участников игры)

В этой игре должно участвовать не менее шести детей. Все, кроме одного, садятся на стулья в кружок. В середине стоят три стула, на одном из них сидит кто-то из ребят. Он говорит, например: *«Я — гроза»*. Кто-нибудь из детей, сидящих вокруг, кому придет в голову что-нибудь подходящее, садится рядом на свободный стул и говорит: *«А я молния!»* Другой спешит на второй свободный стул и говорит: *«Я гром!»* Ребенок-«гроза» должен выбрать из двух одного, например: *«Я беру молнию!»* Он обнимает «молнию» и садится вместе с ней к другим детям. «Гром» должен выдумать что-нибудь новое, например: *«Я – пожарная команда!»* Посмотрим, кто же сейчас сядет рядом: вода, шланг, пожарная машина, пожар или сирена: виу-виу-виу! И самое главное: кого предпочтет «пожарная команда»? Игра кончается, когда детям надоест играть.

«Шарик, твоя косточка пропала»

Понадобится:
- сладкое мелкое печенье или кубики (вместо костей для собаки)

Дети садятся в кружок. Один из них изображает собаку Шарика: он встает в центре на четвереньки, опустив голову к полу. Все кладут «кости» на спину «Шарику». Ведущий показывает пальцем, кто из детей должен украсть у Шарика кости. Тот крадет и прячет их в кулаке. Руки у всех за спиной, и у вора, конечно, тоже. Шарик подходит ко всем детям по очереди, лает на них и просит показать руки. Он перестает лаять, только когда найдет свою кость. Теперь он может сесть и с удовольствием ее сгрызть. Собакой назначается другой ребенок, а прежний Шарик возвращается в круг. *«Гав, гав!»* — игра продолжается. Как долго? Ну, пока все дети не получат по кости.

Дети любят эту игру. Взрослым придется потренироваться в терпении и утешать себя поговоркой: *«Если собака лает, то не кусает»*. В данном случае это означает: если дети заняты, они не ноют и не безобразничают. Дедушка может наконец покурить свою трубку, не вынимая из нее обычно засунутую туда жвачку, мама — спокойно заняться на кухне обедом, Олег не будет отдавливать ей ноги велосипедом…

«Есть ли у Полины апельсины?»

Понадобятся:

- апельсин (или картофелина, тогда игра будет называться «Есть ли у Антошки картошка?»)

Дети садятся в кружок, тесно прижавшись друг к другу. Руки у них за спиной, и они незаметно передают апельсин из своих рук в руки соседа. Один из детей стоит в центре круга и внимательно смотрит на происходящее. Если он догадывается, у кого сейчас апельсин, он произносит: *«Стоп! Есть ли у Полины апельсины?»* «Полина» показывает руки. Если у нее нет апельсина, тот отгадывает дальше. (Однако просто выбросить апельсин нельзя, это против правил.) Когда играть надоест, можно предложить всем апельсиновый сок (или картофельное пюре, если передавали картофелину).

«Ты станешь целоваться с Аликом?»

Понадобятся:

- карты из черного и красного картона
- пробки
- крышечки от бутылок
- пуговицы

У каждого ребенка в руках по красной и черной карточке. В центре сидит игрок, который хочет, чтобы ему задавали вопросы, а вокруг него на корточках — интервьюеры. Они по очереди задают детям интересующие их вопросы, например:

«Когда ты в последний раз описался?», или *«Ты любишь дрожащее желе?»*, или *«Ты пойдешь в ночной рубашке твоей сестры за хлебом, если тебе дадут за это десять мороженых?»*.

Каждый раз задается только один вопрос. Пока ребенок обдумывает, что ему ответить, остальные строят догадки, какой будет ответ: «да» или «нет». Если дети предполагают, что ответ будет «да», они поднимают над головой красную карточку. Если «нет», то черную. В следующий раз отвечает тот, кто спрашивает. Все дети, ответившие правильно, получают какое-нибудь сокровище из вашего собрания: пробку, пуговицу, камешек... Кто наберет больше всех, выйдет победителем.

Игру можно несколько изменить и встроить в нее пари.

«Спорим, что бабушка танцует рок-н-ролл?»

В эту игру можно играть дома или в группе. Разделите присутствующих на две команды. Каждая из них придумывает для противника пари, например: *«Спорим, что бабушка и дедушка не смогут изобразить влюбленную парочку на скамейке в парке?»* или *«Спорим, что тетя Таня и дядя Володя не смогут сыграть на расческе песенку?»*
Может быть, кому-то удастся уговорить маму и папу поплеваться — кто дальше? Если они этого делать не будут, то команда потеряет несколько очков.
О количестве пари можно договориться всем вместе. Если игроки одной группы выполняют, ко всеобщему удовольствию, какое-нибудь пари, то они получают очко. Команда, набравшая больше очков, может заказывать следующую игру.

Схвати фрукты

Понадобятся:

- яблоки и бананы
- тонкая нить
- ручка от метелки или длинная круглая палка
- два стула

Привяжите к фруктам ниточки длиной примерно по 20 см и подвесьте их на палке на некотором расстоянии друг от друга. Палку положите на спинки двух стульев так, чтобы под ней могли лечь одновременно двое или трое игроков. Они должны постараться схватить фрукты ногами и оторвать их. После этого фрукты, естественно, можно съесть.

Когда свет снова включат, посчитаем, кому сколько поцелуев досталось!

Поцелуй в темноте

Понадобятся:

- губная помада (или две разного цвета)
- таймер или секундомер
- пирожное

Дети делятся на две группы и расходятся по комнате. Одна густо красит губы губной помадой, другая не красится. Теперь начинайте! Погасите свет и, может быть, еще дополнительно затемните помещение. Первая группа должна попытаться поцеловать как можно больше детей из второй группы.

Когда через две минуты прозвенит звонок таймера, все посмотрят, сколько «жертв» несут на себе следы поцелуев. Сможет ли вторая группа поцеловать столько же участников игры в следующем туре? В конце победитель получает пирожное.

От носа к носу

Понадобятся:

- 2 коробки из-под спичек

Дети делятся на две команды и встают в два ряда лицом друг к другу. При этом руки нужно обязательно всем держать за спиной. По сигналу первый в каждом ряду кладет коробку из-под спичек себе на нос. Его задача — передать коробку следующему без помощи рук. Если коробка падает на землю, тот, с чьего носа она свалилась, возвращает ее на прежнее место и повторяет попытку. Выигрывает команда, первая передавшая коробку последнему игроку в своем ряду.

Кто летает?

Для этой игры нужно выбрать ведущего.

Дети встают в круг, лицом к центру. Водящий находится в центре круга. Он задает вопросы. А все сразу же, без пауз, отвечают. Например, ведущий спрашивает: «Стрекоза летает?» Игрокам нужно ответить хором: «Летает!» — и показать, как она это делает, разведя в стороны руки, как крылья. Затем ведущий опять спрашивает, летает ли какое-нибудь существо, предмет или нет. Кто ошибется, будет водить, то есть спрашивать всех остальных: «Кто же летает?» Например: «Орел летает? Воробей летает? Змей летает? Змея летает?»

«Ты любишь ливерную колбасу?»

Понадобятся:

- пробки, игральные карты, пуговицы, денежки или другие мелкие предметы

Каждый из детей получает по три мелких предмета. Затем ведущий или сами дети начинают задавать каждому вопросы, например: *«Кто уже однажды писал в штаны?»* или *«Кто может сделать на большой тарелке из картофельного пюре и соуса речной ландшафт?»* Тот, кто отвечает на вопрос утвердительно, должен отдать один предмет. Первый из оставшихся без всех трех предметов выйдет победителем.

Вопросы дети могут продумать все вместе. Играть в «Ты любишь ливерную колбасу?» очень хорошо в кругу семьи. Наконец-то вы сможете узнать, надевает ли тетя Таня, например, теплые панталоны под длинную юбку...

Кукольный театр

Зачем ходить в магазин и тратить деньги на кукол для кукольного театра, когда можно сделать их самостоятельно.

Руку просунь в носок,
Глазки вот здесь пришей,
Красненький язычок
И ушки приклей скорей!
На голову — колпачок,
Пальцы твои — вместо рук...
Петрушка не дурачок,
Петрушка — всем детям друг!

Кому не знакома такая ситуация: один носок потерялся и его ну никак не найти! Вместо аккуратных пар в ящике сплошь разрозненные носки. Сыграв неоднократно со своими детьми в игру «Найди второй носок», я пришла к выводу, что пора подумать и переключиться на что-нибудь другое. Нет смысла сердиться на злого духа стиральной машины, по преданию, заглатывающего носки. Итак, вместо того чтобы продолжать раздражаться, лучше из одиноких носков смастерите кукол для кукольного театра, приговаривая: *Фокус-покус, крабле-бум!*

Был несчастный носок одинок.
Стал Петрушкой — и счастлив носок!

А можно по-другому:

Остался без пары зеленый носок...
Теперь он — дракон и не так одинок!

Итак, начинаем делать кукол для **кукольного театра**!

Понадобятся:
- носки
- пуговицы или бисер
- сукно или остатки тканей
- картон
- клей
- иголки и нитки

Как же из всего этого сделать куклу на руку?

1. Чтобы представить себе, где расположить глаза, уши, нос, рот, первым делом наденьте чулок на руку. Пятка должна быть на косточке запястья.

2. Теперь вместо глаз пришейте бусинки или пуговицы на расстоянии 2—3 см одна от другой.

3. Вырежьте из картона кружок, сложите его пополам, всуньте в носок и крепко пришейте или укрепите снаружи. Теперь вы можете открывать и закрывать рот куклы.

4. Наконец пришейте с боков два уха из лоскутков плотной ткани. Можно добавить ряд зубов или язык, а также нашить ей нос.

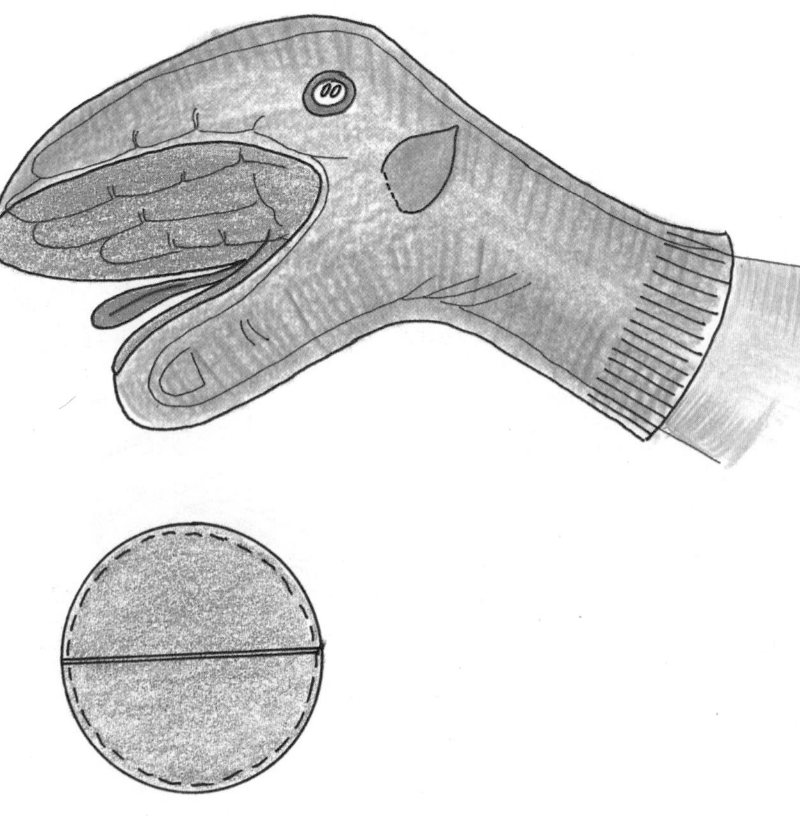

Из бумажного пакета из-под фруктов тоже можно сделать куклу.

Понадобятся:
- бумажные пакеты из-под фруктов
- фломастеры
- ножницы
- клей
- цветная бумага
- гофрированная бумага
- шерстяные нитки

На бумажном пакете нарисуйте фломастерами лицо. Для носа вырежьте круглую дырочку. Украсьте пакет обрезками бумаги и приклейте волосы из шерстяных ниток или из полосок бумаги. Чтобы управлять куклой, вложите руку в пакет и просуньте в дырочку палец — это будет нос.
Чем меньше куклы-пакеты будут похожи друг на друга, тем веселее получится спектакль. Так что дайте волю фантазии!

Главных исполнителей для вашего театра можно смастерить не только из носков или пакетов из-под фруктов. И деревянные ложки играть умеют. Для изготовления кукол из поварешек потребуются:

- неокрашенная деревянная поварешка
- краски
- фломастеры
- бумага или тонкий картон
- прозрачный лак
- кисть
- остатки шерстяных ниток
- клей
- лоскутки разных тканей
- нитки и иголки
- ножницы

Нарисуйте на поварешке лицо и приклейте вместо волос шерстяные нитки. Из бумаги или тонкого картона вырежьте уши или смастерите маленькую корону. Ручку ложки заверните в платье. Для платья выкройте из кусочка ткани прямоугольник, длина которого соответствует длине ручки. По одной из сторон проденьте крепкую нитку, соберите ткань в сборки и посадите на клей вокруг ручки. Потом сделайте две дырочки для пальцев. Во время игры держите куклу за ручку, а пальцы просуньте в эти отверстия — это будут руки куклы.

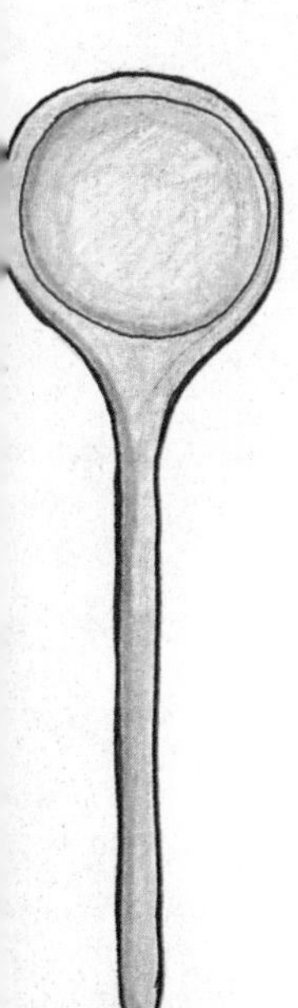

Куклы из поварешек, пакетиков и старых чулок — вот это театр!

Для своих кукол вы можете сочинить бесконечное количество игр. Конечно, прежде всего должен быть кукольный театр. Поэтому сначала — советы по строительству сцены. Она должна иметь самую простую конструкцию, чтобы ее можно было собрать в считанные секунды: ведь порой о самых важных представлениях узнаешь совсем незадолго до начала. На дверном косяке на высоте детских плеч вверните по петле. Подшейте край пестро раскрашенной простыни или куска ткани так, чтобы туда можно было вдеть круглую палочку, по длине на 30 см перекрывающую дверной проем. Натяните занавес на палку и вставьте ее обеими концами в петли на дверном проеме. Присядьте на корточки позади занавеса — и можно начинать представление! Еще проще опрокинуть стол и покрыть его пестро раскрашенной простыней.

Акт первый

На сцене появляется кукла из старого носка, стонет и жалуется.

Носок. *Дети, я порвался! Я весь пропотел! Мне нужно хорошенько отдохнуть.*

Носок ложится. Появляется кукла из пакета.

Пакет. *Это ни в какие ворота не лезет! Тебе не ложиться надо, а вставать и идти со мной. Господин Мокросуп приготовил для нас обед. Но сначала тебе надо помыться, от тебя грязными ногами пахнет.*

Кукла из носка недовольна.

Носок. *Ты, пакет перемазанный, не хочу я обедать у Мокросупа! Ешь сама его противный суп, он все равно переперчен.*

Пакет. *Что ты городишь, старый Носок! Господин Мокросуп — лучший повар во вселенной! Он мешает суп с чувством.*

Носок. *С чувством? Это еще что за приправа? Я такой не знаю.*

Пакет. *Пошли со мной — и попробуешь. Это обалденно вкусно!*

Носок. *Ну, хорошо, только я не думаю, чтобы господин Мокросуп мешал суп с чувством.*

Пакет. *Ну, это мы еще посмотрим!*

Акт второй

Пакет и Носок в гостях у господина Мокросупа (куклы из поварешки).

Мокросуп. *Как замечательно, что вы наконец пришли! Я уже три часа мешаю свою стряпню.*

Пакет. *Ах, дорогой господин Мокросуп, что же сегодня на обед?*

Мокросуп. *Липкий суп с вязким соусом.*

Пакет. *Ах, я всегда этого хотел!*

Носок. *Э, такую ерунду я не ем! Даже если ее три недели мешали с чувством!*

Пакет. *Ну, тогда голодай. Я буду есть, у меня прекрасные чувства к господину Мокросупу.*

Носок. *Ой, умираю, умираю, держите меня!*

Придумывать небольшие истории и тексты для кукольного театра не так уж трудно. Попробуйте разок, и вы втянетесь в это занятие. А чтобы у вас получалось, нельзя сочинять под принуждением. Когда играешь, речь идет не о результатах и достижениях, а об удовольствии от игры. Так весело заниматься вместе с детьми ерундой, придумывать с ними и для них веселые тексты. Дети рады перевирать слова, любят игру слов, языковые недоразумения, напряженное развитие событий, которые они наблюдают и в которых могут участвовать.

Вот еще пример.

Сережа преследует Дениса и обращается к публике.

Сережа. *Вы мне должны сразу сказать, если Денис выйдет гулять!*

Дети. *Хорошо.*

Сережа. *Вы меня разбудите, а?*

Дети. *Хорошо!*

Сережа отправляется на боковую. Приближается Денис.

Дети. *Сережа, Сережа, Денис идет!*

Денис быстро исчезает.

Сережа (*ворчит*). *Опять вы врете, здесь никого нет!*

Дети. *Ну как же нет? Ты, Сережа, совсем серый! День настал, Денис пришел!*

Сережа. *Ну, что там гадать. Я ложусь опять спать.*

Денис снова приближается. Дети кричат. Игра продолжается.

Подобные маленькие сценки обычно показывают, что дети хотят развлечься и любят напряженные ситуации. Достичь этого можно простыми средствами. Помните об этом, сочиняя свободные и веселые диалоги, и все получится хорошо. И если вы сами будете сочинять с удовольствием, препятствий для отличного спектакля кукольного театра не будет никаких.

Ролевые игры с переодеваниями и без них

«Пойдем поиграем с тобой, как будто бы мы пьем кофе у тети Тани», — предлагает четырехлетняя Юля своей подруге. И начинается! В детской накрывается на стол, Юля находит в мамином шкафу подходящие для такого большого события туалеты... И немного погодя взрослые становятся свидетелями милого застольного разговора. Две маленькие дамы играют в наблюдения, которые они делают в повседневной жизни. дети подражают манере поведения тех людей, с которыми чаще всего сталкиваются. Они свободно перенимают характерные их особенности и воспроизводят речевые обороты. Только иногда им трудно придать своим мыслям правильную грамматическую форму. *«Ах, милая моя,* — возможно, говорит одна из благородных дам, — *у меня было такое обзарение!»* Другая дама спрашивает, гремя своими драгоценностями: *«У вас есть еще кусок пирога? Я так люблю разъедаться. Но только моему мужу это не нравится. Ну, у меня муж толстый и пекарь. Ему нравятся высокие каблуки. А что там было с вашим обзарением?» — «Ах, я как раз вспомнила, что мне еще надо купить масла. Мне еще нужно полметра масла. Вы пойдете со мной?»*

Спустя некоторое время девочки на высоких каблуках, с сумочками, в шляпках и слишком длинных платьях семенят по коридору.

Советы родителям

Дети любят играть разные роли. Они подражают поведению окружающих их взрослых. Если дети углубились в ролевую игру, они на удивление долго будут заняты сами по себе. Но немножко их все-таки следует поддержать.

Вхождение в игру облегчит, возможно, рассказанная вами небольшая история.

Дайте детям необходимые для игры вспомогательные материалы, которые облегчат им вживание в ситуацию. Так, разная одежда окрыляет фантазию.

Создайте спокойную, ненапряженную атмосферу — вы поможете детям войти в роль.

Можно поддержать игру, на какое-то время тоже взяв себе роль: например, посетителя на почте, пациента у врача, гостя на семейном торжестве или обедающего в ресторане.

Итак, начиная с обращения ребенка к другому играющему все приходит в движение. Ведь в тот момент, когда один из детей, играя в машинки, говорит: «Здравствуйте, господин владелец заправки!» — игра по ролям уже началась!

Количество детей в группе

Игры по ролям хорошо получаются в небольших детских группах. И если дети чувствуют, что им никто не мешает, даже малыши долго и с удовольствием занимаются сами по себе. Разговаривая друг с другом, они проигрывают разные роли и ситуации.

Место игры

Играть в ролевые игры дети могут везде, но в зависимости от особенностей игры иногда им бывают нужны особые места. Вы должны помочь им, создавая с помощью перевернутых столов и простыней уголки для игр. Можно прибить в детской два крючка и натянуть между ними бельевую веревку (или крепкий шнур). На ней можно укрепить прищепками для белья раскрашенную простыню, которая отлично разделит пространство (если детям, например, понадобится для игры во врача кабинет и приемная). Хороша для таких целей и ширма.

Советы по проведению игр

Обычно достаточно нескольких предметов реквизита, чтобы заинтересовать детей ролевыми играми. Иногда войти в роль им помогают и другие вещи, например:

— рассматривание книги с картинками,
— прогулка или экскурсия (на вокзал, в магазин, в аэропорт или на почту),
— детская передача по телевизору,
— рассказанная взрослыми история,
— детские кассеты,
— обычные повседневные события.

Ход игры

Сейчас речь пойдет не столько об идеях для игр детей старшего дошкольного возраста, сколько о малышах. Гораздо важнее помочь именно им начать играть самостоятельно. Создав условия для игры, вы можете отойти в сторону. Но держитесь поблизости, чтобы при случае уладить споры о шляпах или распределении ролей. При этом, пожалуйста, не вмешивайтесь в конфликты между детьми прежде времени: они сами в состоянии их разрешать.

Что вам необходимо

В платяном шкафу родителей дети найдут много вещей, с помощью которых можно нарядиться. Чтобы Юля не надевала лучшую мамину шелковую блузку, изображая тетю Таню, лучше всего заранее приготовить коробку или корзинку с вещами для переодеваний. Потому что удовольствие от забавных детских разговоров у вас моментально улетучится, как только вы увидите, что «тетю Таню» во время ее африканского путешествия целует негр. Вы, конечно, придете в ужас, когда на дорогой блузе начнет расползаться настоящий «поцелуй негра» — пирожное! Поэтому самое лучшее, что вы можете сделать, отойдя от первого шока, — собрать все, что вам не слишком дорого и любимо, и отдать детям, чтобы и вы могли порадоваться их играм с переодеваниями. В вашей корзине (или ярко раскрашенной коробке) могут быть следующие вещи:

- старые простыни и остатки тканей
- ночные рубашки
- жакеты
- женские платья
- брюки
- дамские чулки
- мужские носки
- шляпы, шапки, платки

В три (меньшие) дополнительные коробки положите еще:

- ботинки
- солнечные очки, маски для ныряния, заколки для волос, зонты и так далее
- грим театральный или карнавальный, губную помаду и зеркало

А теперь несколько идей, которые пригодятся вам, чтобы настроиться на ролевые игры.

Откроем ящик с нарядами — и вот Нина уже превращается в изящную даму.

Угадай ситуацию

Один или двое игроков покидают комнату и придумывают ситуацию, которую они хотят разыграть с помощью пантомимы. Например: крестьянин и крестьянка ухаживают за скотиной. Или: папа (мама) кормит и пеленает младенца.

Остальные дети, посмотрев пантомиму, совещаются между собой, стараясь угадать, что же перед ними разыграли маленькие актеры. Затем дети решают, чья теперь очередь изображать ситуации, и игра продолжается.

Угадай вид спорта

Во время этой игры все дети могут оставаться в комнате. Они по очереди выбирают для себя вид спорта, который хотят представить остальным. Очень хорошо подходят для этой цели, например, гребля, футбол, настольный теннис, плавание, гимнастика. Если ребенок ничего не смог придумать, ведущий должен ему помочь. Возможно, игроки знают даже имена какой-нибудь звезды тенниса или футбола.

Угадай человека

Ребенок выбирает себе из ящика одежду и разные предметы и мысленно выбирает человека, которого знают все участники игры. Жестам, языку, мимике и походке этого человека он будет теперь подражать. Кто угадает, что это за человек, станет водить следующим.

Угадай профессию

Ребенок изображает профессию без каких-либо вспомогательных средств. Если малыши сами ничего не смогли придумать, подскажите им на ушко что-нибудь подходящее и дайте время на размышления, как эту профессию представить.

Игры со шляпами

Понадобится:

✽ магнитофон или проигрыватель

В середине комнаты поставьте ящик и положите туда дамскую шляпу. Кто-то из детей вытаскивает ее, надевает на себя и изображает благородную даму. Затем он снимает шляпу, кладет ее обратно в ящик, достает оттуда фуражку кондуктора и надевает на другого ребенка. Если у того нет настроения играть роль кондуктора, он передает фуражку дальше. Игра под музыку обычно доставляет детям еще больше удовольствия: сначала шляпу передают от ребенка к ребенку, и как только ведущий останавливает музыку, тот из детей, у кого в этот момент оказалась шляпа, играет подходящую роль.

Игры с временами года

В коробку или ящик положите вещи, нужные в разное время года.

Понадобятся:
- солнечные очки
- крем для загара
- купальные костюмы
- лыжный костюм
- шарф
- шапка
- зонтик
- одежда для дождливой погоды и так далее

Расскажите детям увлекательную историю. По ходу действия в ней должно упоминаться одно из времен года. Тогда вы подмигиваете кому-нибудь из детей, и тот надевает на себя подходящие вещи, демонстрируя их всем.

А теперь перейдем к ролевым играм, которые требуют несколько большей подготовки.

Почта – банк – бюро

Понадобятся:
- коробка, карандаши, краски, нож для разрезания бумаги и ножницы (чтобы сделать окошечко на почте и щель в почтовом ящике)
- картон, гофрированная бумага, клей, ножницы (для шапок)
- служебные формуляры, бланки с почты и из банка
- печати (самодельные — из пробки или картошки)
- пуговицы (вместо монет)
- цветная бумага и цветной картон (чтобы делать деньги и чеки)
- старые, ненужные чеки и формуляры
- ручки
- дыроколы
- скоросшиватели
- телефон (можно склеенный из картона)
- пишущая машинка (тоже склеенная из картона)
- канцелярские скрепки
- бумага

Дети часто получают сильные впечатления от происшествий и событий повседневной жизни. Они с удовольствием подражают действиям, которые, как им кажется, обладают высоким статусом в мире взрослых.

Если нужно заполнять какие-нибудь формуляры, взрослые, часто с важной миной, садятся, что-то перечеркивают, нервничают, а дети, как правило, следят за их действиями очень внимательно.

Сначала сделайте из большой картонной коробки окошко почты — как на рисунке. Раскрасьте его в желтый цвет и напишите название, например: «Детская почта». Точно так же можно сделать почтовый ящик.

Фуражки для почтовых служащих можно быстро сделать из остатков толстого картона и гофрированной бумаги.

1. В зависимости от объема головы вырежьте из картона полоску размером примерно 3 х 50 см. Козырек будет примерно 7 х 15 см. Форма его видна на рисунке. По краю, на расстоянии около 1 см, надрежьте его, а зазубрины отогните.

2. Склейте полоску картона в кольцо и сформируйте из прямоугольника гофрированной бумаги верх фуражки. Соберите его, крепко свяжите и приклейте к кольцу. В конце работы наклейте козырек.
Ход игры дети определят сами. Им доставляет удовольствие передать свой опыт в ситуации, близкой к жизни, и при этом применить фантазию, используя в игре ее возможности.

Игра в больницу

Понадобятся:

- старые белые рубашки или футболки
- мешки для мусора (вместо халатов)
- записная книжка (как ежедневник делового человека)
- самодельные бланки больничных листов
- перевязочные средства (побольше по возможности. Можно поэкспериментировать и с туалетной бумагой)
- пластырь (или клейкая лента на матерчатой основе)
- кремы
- три пустых ролика от туалетной бумаги, пустые коробочки от сыра, белый провод или шнурок, красная клейкая лента или изолента, красная краска, кисточка и ножницы (для стетоскопа)
- большая картонная коробка, нож для резки, прозрачная моющаяся пленка, черная ручка, черная краска и кисточка, клейкая лента (для рентгеновского аппарата)
- кубик (проверять рефлексы)
- большая коробка, чтобы все это складывать, с нарисованным на ней красным крестом
- журнал с картинками (для сидящих в очереди на прием)

Сначала сделайте **стетоскоп** (трубочку для прослушивания):

1. Раскрасьте пустые ролики от туалетной бумаги и коробочку из-под сыра в красный цвет.

2. Отрежьте от провода примерно 80 см и закрепите этот кусок узлом и клеем в картонных роликах и коробочке так, как показано на рисунке.

Рентгеновский аппарат тоже сделать недолго:

1. Прорежьте в длинной стороне или в дне большой картонной коробки прямоугольное отверстие. Отрежьте боковые стенки, чтобы ребенок мог войти в коробку. Покрасьте все в черный цвет. Это и будет рентгеновский аппарат.

2. Вырежьте из пленки побольше прямоугольников несколько большего размера, чем отверстие в коробке — рентгеновском аппарате. Приклейте пленку изнутри кусочком клейкой ленты над отверстием. Теперь «врач» может хорошо рассмотреть, как выглядит пупок или грудь пациента (конечно, и тут нужно говорить, как в настоящей жизни: *«Пожалуйста, разденьтесь до пояса»*). «Врач» обводит соответствующую часть тела на пленке фломастером. «Рентгеновский снимок» вынимают и обсуждают с пациентом.

В эту игру по ролям дети играют чрезвычайно усердно, они лечат всех подряд и перевязывают своих пациентов (это могут быть взрослые, дети, куклы или мягкие игрушки).

Советы родителям

Игра во врача помогает детям преодолеть страх перед настоящими врачами или перед предстоящим пребыванием в больнице. Так же можно «проиграть» и другие сложные ситуации.

Магазин

Понадобятся:
- большие картонные коробки
- картон
- клейкая лента
- пустые коробочки
- вымытые баночки из-под мармелада
- пуговицы (вместо монет)
- цветная бумага (для ценников)
- лоскутки (для отдела тканей)
- газеты (для стойки с газетами)

Если дети собрались поиграть в магазин, нет никакой нужды покупать для этого дорогие готовые игровые наборы. Дома обычно бывает вполне достаточно коробочек и всяких мелочей, которые прекрасно подойдут для игры. В большие картонные коробки — в такие обычно укладывают вещи для перевозки — вклейте с помощью клейкой ленты подходящего размера картонки — и полки для товаров готовы. Можно начинать продавать, торговаться и обмениваться.

Свадьба

Понадобятся:
- приглашения
- белая бумажная скатерть или белая простыня
- самодельные украшения для стола (их можно вырезать, например, из серебряной фольги)
- салфетки
- таблички с именами
- соки в бутылках из-под вина
- занавески или еще что-нибудь вместо фаты невесты (и булавки, чтобы фату прикрепить)
- черный картон (для цилиндра)
- кольца
- мелкие твердые печенья
- разные предметы домашнего обихода
- упаковочная бумага для подарков
- кубики
- музыкальные инструменты (для танца невесты)
- магнитофон и кассеты с музыкой для танцев
- фотоаппарат и пленка (хорошо бы для моментальных фотографий, которые дети сразу смогут взять с собой)

Скорее всего, настоящая веселая свадьба в вашей семье была уже очень давно. Устройте ее как игру: ваша дочь Аня выходит замуж за своего приятеля Алика. И тому и другому по четыре года. Сначала напишите приглашения друзьям Ани и Алика.

> *Приглашение*
>
> *12.12.1998*
>
> *Аня и Алик наконец женятся*
>
> *Если хотите, приходите на наш праздник в 15 часов. Просим быть в праздничной одежде. Если у вас дома есть предметы, которые вам больше не нужны, приносите их, пожалуйста, с собой упакованными как подарки. Вы поможете нам завести свое собственное хозяйство. (Предметы, которые не пригодятся, будут распределены между гостями во время игр.)*
>
> *Мы будем рады видеть вас у себя.*
>
> *Аня и Алик.*

Приглашение
12.12.1998
Аня и Алик наконец женятся

Если хотите, приходите на наш праздник в 15 часов. Просим быть в праздничной одежде. Если у вас дома есть предметы, которые вам больше не нужны, приносите их, пожалуйста, с собой упакованными как подарки. Вы поможете нам завести свое собственное хозяйство. (Предметы, которые не пригодятся, будут распределены между гостями во время игр.)

Мы будем рады видеть вас у себя.
Аня и Алик.

Пожалуйста, не забудьте назначить свидетеля, который принесет кольца для обручения.

Цилиндр сделайте по образцу модели № 3 на с. 114—115.

Порядок празднования. Сначала накройте праздничный стол. Теперь могут приходить гости. Обговорите заранее, кто какую роль будет играть (в обязательном порядке) и кто с кем придет на свадьбу. Иначе получится полный хаос. Итак, когда появятся тетя Таня и дядя Володя, пригласите их занять места. А когда придут дедушка и бабушка, можно начинать. Двое детей должны взять на себя обслуживание гостей за столом (надев белые передники из кружевных бумажных салфеток). Кульминационные моменты праздника — это, конечно,
поздравительные речи за столом,
обмен кольцами,
торжественная музыка,
тост и поднимание бокалов за чету новобрачных,
групповая фотография
и в заключение — веселая игра с раздачей подарков.

Игру с раздачей подарков я хотела бы объяснить подробнее, остальные действия можно организовать на свой вкус. На свадебных приглашениях упомянуто, что дети должны принести с собой ненужные в хозяйстве предметы. Конечно, чета новобрачных этим подаркам очень обрадуется. То, что не пригодится ей в собственном хозяйстве, упаковывается в бумагу и ставится на стол. Гости занимают места и по очереди бросают кубик. На выпавшую «шестерку» можно распаковать подарок и пока оставить его у себя. Когда все подарки окажутся распакованы, новобрачные могут еще раз выбрать себе подарок. После этого игра продолжается. Кому выпадет «шесть» или «три», может выбирать. Он имеет право взять себе подарок, который распаковал другой ребенок. Так все предметы постоянно меняют своих владельцев. Игра может быть закончена, если жених и невеста поцелуются. Если играют маленькие дети, нужно ставить будильник, ограничив игру по времени. В конце каждый может оставить у себя то, что лежит перед ним. Если кто-нибудь выиграл много подарков, он должен передать несколько из них тем детям, которые не получили ничего.

Так же можно организовать день рождения бабушки или дедушки. Можно играть не на предметы домашнего обихода, а на книги.

Снимаем видеокамерой игру по ролям

Понадобятся:
- видеокамера
- видеокассета на 180 минут
- вещи для переодевания

Если у вас нет видеокамеры, возьмите ее напрокат или попросите у друзей. Соберите соседских детей и спросите у них, хотят ли они вместе с вами участвовать в съемках фильма. Попросите их принести вещи для переодевания. Кроме того, предоставьте в общее пользование свой ящик с одеждой и три маленькие коробки. Когда участники съемок соберутся, подумайте все вместе, какую сцену вы хотите заснять. Конечно, для этой цели подходят и все предыдущие ролевые игры. А можно инсценировать любимые анекдоты ваших детей. Если же вам ничего такого не приходит в голову, откройте книгу детских анекдотов и шуток и выберите те, которые легко сыграть. Можно заснять и такие сценки.

Игры по ролям доставляют детям огромное удовольствие. «Скоро ли поезд прибудет в Москву?»

Поездка в поезде

Понадобятся:
- ящик с одеждой
- газеты
- чемодан
- дорожный провиант
- игрушечная собака

Устройте из стульев или матрасов сиденья в вагоне поезда. Переодетые дети будут изображать пассажиров. Это, конечно же, дальняя поездка, и в дорогу нужно взять с собой запас еды. У детей обыкновенно есть много смешных идей по поводу того, что может произойти в поезде. Как насчет такого диалога для начала?

— *Пожалуйста, закройте окно. Дует!*

— *Нет, воздух невыносимо тяжелый. Пусть останется открытым!*

Диалоги и ситуации, развивающиеся из них, ведущий незаметно снимает на видеокамеру. Если вам совсем уж ничего не приходит в голову, можно разыграть следующее. Каждому из детей поручите какую-нибудь роль. Это могут быть главные роли: две толстые дамы, тугоухая бабушка, господин с газетой и беспокойная женщина — либо второстепенные: просто тихий пассажир, путешественник.

И вот вы уже втянулись в историю, которую можно изменять как угодно. Ведь лучше всего в играх по ролям именно то, что они просто созданы для импровизаций.

Беспокойная госпожа собирается уезжать. Она идет с чемоданом на вокзал. Там она мечется по перрону, потому что поезда еще нет. На перроне много народу, слышны разные звуки (несколько детей обеспечивают шумовые эффекты).
Когда поезд подходит, беспокойная госпожа берет свой багаж и заходит в купе, где уже сидят несколько пассажиров. Поезд отправляется. (Ну, где же шумовые эффекты?) И вот начинаются мелкие неприятности поездки, от которых беспокойная госпожа становится все нервнее. Толстые дамы все время едят и пьют, собака хватает объедки и просит еще, господин с газетой громко читает вслух и так далее. Беспокойная госпожа становится все беспокойнее. На следующей станции (как она называется, дети решат, подъезжая к ней) три пассажира сменяются другими, толчея и суета усиливаются (так продолжается до тех пор, пока все дети, которые хотят участвовать в игре, не получат роль). Вот теперь беспокойная госпожа доехала до цели своего путешествия и с облегчением выходит из поезда.

Муми-тролль и его клевая группа

Понадобятся:

- вещи для переодевания
- инструменты
- магнитофон или проигрыватель

Ведущий делит детей на группы по четыре человека. Каждая команда — это рок-группа, и она должна придумать себе название позабористее (скажем, «Хот-доги» или «Четыре черненьких чертенка» и тому подобное). Раздайте детям разные (самодельные!) инструменты и нарядите их как можно забавнее. Не забудьте про шляпы, галстуки и очки. Дайте послушать музыкантам побольше коротких песенок из разряда поп-музыки (лучше выбрать модную ритмичную музыку). Каждая группа выбирает себе одно музыкальное произведение, под которое она собирается выступать. Шоу будет «под фонограмму»: каждая песенка звучит на пластинке или кассете, а дети делают вид, что поют «в прямом эфире».

В перерывах кто-нибудь из детей берет интервью у участников поп-групп. О чем спрашивать, зависит от фантазии ребенка. Если есть желание, можно назначить и жюри, которое присудит приз самой лучшей группе «горячей десятки».

Наконец-то Диме удалось подать клоунам спагетти и кетчуп.

Вася-неумеха и клоуны

Понадобятся:

- грим
- вещи для переодевания
- накрытый стол
- несколько тарелок с вареными макаронами
- бутылка с кетчупом

Дети, принимающие участие в этой игре, должны разрисовать друг друга как клоунов. Впрочем, это не обязательно, весело будет и без грима. Клоуны сидят в дорогом ресторане за празднично накрытым столом. Официант Вася-неумеха спешит к ним и спрашивает, чего желают гости (ведущий вполне может сыграть одного из клоунов или же самого Васю-неумеху — вот уж дети над ним посмеются!). Вася-неумеха человек обстоятельный, довольно неуклюжий и очень нервный, потому что он только что получил место в этом престижном заведении.

Клоуны заказывают спагетти с кетчупом. Официант путает слова, заказ возвращают, приходится переспрашивать.

Все это для него чересчур сложно. Наконец Вася-неумеха приносит заказ, но оказывается, он забыл про кетчуп. Приходится бежать назад на кухню. Однако, когда он возвращается, клоуны уже съели спагетти и чисто вылизали тарелки. Теперь они утверждают, что им вообще еще ничего не приносили. Вася-неумеха не знает, как быть. Он оставляет на столе бутылку с кетчупом и снова бежит на кухню, чтобы заказать новые макароны. А когда приносит их посетителям, выясняется, что исчез кетчуп, и следа не осталось. Вася-неумеха ищет везде: на столе, под столом, рядом со столом. Клоуны ведут себя очень дружелюбно, они с готовностью помогают ему искать. Вдруг за ухом одного из клоунов Вася-неумеха обнаруживает макаронину. Как же события будут развиваться дальше?

> *Советы родителям*
>
> *Время от времени нужно разрешать детям играть с продуктами, даже если они не до конца съедают их и еду приходится выбрасывать. Однако объяснить детям, что выбрасывать продукты неэкономно, нужно обязательно.*

Игры с коробками, старыми вещами и красками

Основные предметы, необходимые для описанных далее игр:

- краски
- фломастеры
- халат для рисования или малярных работ (либо мешки для мусора)
- толстая кисть
- пленка для упаковки или газеты
- ножницы
- нож (для резки)
- клейкая лента (а также двусторонняя клейкая лента)
- стаканчики (для краски)
- кусочки тканей
- старая одежда
- картон
- иголки и нитки
- клей
- шкатулки разных видов
- пуговицы
- картонные коробки разных размеров, в том числе из-под обуви и несколько очень больших

Все, что потребуется дополнительно, будет указано уже применительно к отдельным конкретным играм. С помощью крепких картонных коробок, лоскутков ткани и краски можно шаг за шагом превратить самую скучную детскую комнату в рай.

1. Итак, начнем с подбора больших, средних и маленьких картонных коробок. Их можно найти в продовольственных и обувных магазинах. Подойдут и большие коробки из-под телевизоров, стиральных машин и тому подобного. Если у вас дома нет ничего подходящего, можно обратиться к соседям и друзьям — а вдруг они будут рады освободиться от уже ненужных упаковок и коробок?

2. Соберите остатки тканей всех видов и расцветок, а также старую одежду, которую никто не носит. Одеждой можно набить подушки, которые пригодятся для кукольной кровати или автомобиля. Наволочки для кукольных подушек взрослые могут сшить из остатков разных тканей. И не обязательно на швейной машине — можно и на руках, простыми стежками.

3. Дети охотнее всего берут на себя раскрашивание картонных коробок. Застелите пол, на котором они будут рисовать, пленкой. Сойдут и газеты. Выдайте маленьким художникам халат для малярных работ или прорезанный мешок для мусора, чтобы защитить одежду. Кисти должны быть как можно толще, это облегчает работу. Лучше всего использовать непроливающиеся стаканчики для краски (продаются в специализированных магазинах) и неядовитые, смывающиеся краски. Имеет смысл, кроме того, еще до начала работы разлить краски по отдельным емкостям и разбавить их водой, чтобы легче было наносить.

4. Когда краски высохнут, обсудите с детьми, что делать дальше. Подумайте, например, из остатков каких тканей лучше сшить гардины и коврики в кукольный домик или наволочки на подушки. Есть ли дома еще вещи, которые можно было бы использовать, чтобы украсить вами задуманное или сделать игру еще интереснее (например, коробки для магазина или пуговицы, чтобы расплачиваться за товар)?

Советы родителям

Уже сама совместная подготовка коробок создает хорошую атмосферу: ведь общая творческая деятельность объединяет детей и взрослых. Каждый может употребить свои способности в соответствии со своими возможностями. Пока дети с полной отдачей разрисовывают коробки, взрослый, например, спокойно сидит в уголке и шьет. Ведите себя с детьми так, чтобы они могли осуществлять свои идеи, расписывая коробки, без давления, надзора и спешки.

А теперь перейдем к конкретным возможностям, которые открываются перед вами. Начнем с изготовления различных средств передвижения из картона и плотной бумаги.

Едем в автомобиле

Дополнительно к основным предметам понадобятся:

- старый сломанный прибор (будильник или радиоприемник — вместо мотора)
- проволока (для крепления)
- упаковочный шнур
- закрывающиеся емкости (для бензина)
- кусочек картона, печать и фотографии (для водительского удостоверения)
- большая тарелка

У вас есть выбор между разными типами автомобилей: в одни дети могут сесть и потом возить их по полу взад-вперед, а другие должны будут крепко держать руками после того, как они, так сказать, «наденут» их на себя. Скорость последней модели будет зависеть от того, насколько быстро ребенок умеет бегать: ноги-то выглядывают снизу. Кроме того, в этом случае картонная коробка ломается не так быстро, как при автомобиле, скользящем по полу.

Чтобы соорудить **скользящий автомобиль** (см. рисунок), понадобится большая крепкая коробка, в которой свободно может сидеть ребенок. Разрисуйте ее красками и прикрепите к ней клейкой лентой небольшую дополнительную коробку для мотора. Автомобиль будет выглядеть совсем как настоящий, если вы разберете на составные части старый будильник, радиоприемник или еще какой-нибудь сломанный прибор. Все это нужно прикрепить клейкой лентой под «капотом» в том порядке, который подскажет ваша фантазия. «Мотор» готов!

Теперь нужно сделать из крепкого картона руль. Его можно укрепить спереди проволокой, а можно и просто держать в руках, не прикрепляя. Под коробкой прикрепите двусторонней клейкой лентой плоскую подушку, чтобы машина лучше скользила. Если ребенок хочет сидеть удобно, вложите еще и подушку для сиденья. Само собой разумеется, нужен еще и автомобильный радиоприемник. Может, где-нибудь найдется старый плейер, тогда его можно прикрепить скотчем в коробке спереди.

Наконец можно отправляться в путь! Что такое? Машина не едет? Наверное, не хватает бензина. Надо открыть «крышку капота» (то есть крышку передней маленькой коробки) и поставить туда маленькую закрывающуюся емкость с водой — это будет «бак». Закройте, пожалуйста, «бак» поплотнее, иначе «бензин» прольется!

Может быть, найдется и гудок или сигнал, с помощью которого шофер сможет согнать дядю Володю с пути своего автомобиля. Так, водительские права здесь (сделаны из сложенной пополам картонки, снабжены фамилией, печатью и фотографией). Тогда жмем на газ... Удачной поездки!

А теперь «запустим в производство» бегающий автомобиль. В этом вам помогут рисунки. Выбирать можно из двух моделей.

Модель первая (см. выше)
Когда будете выбирать большую крепкую коробку, нужно следить, чтобы она удобно надевалась через голову. Прежде чем разрисовать ее красками (не голову — коробку!), вырежьте в дне отверстие. Оттуда потом будет выглядывать голова шофера (коробку при этом, разумеется, надо перевернуть). Удалите куски картона, закрывающие коробку сверху. Не забудьте о двух окошках (за которые потом шофер будет держать автомобиль). С помощью большой тарелки нарисуйте на толстом картоне четыре круга и вырежьте их: это будут колеса. Их нужно приклеивать двусторонней клейкой лентой снизу автомобиля.
Бегающий автомобиль готов. Шофер надевает его через голову так, чтобы выглядывали только голова и ноги, и крепко держит коробку. Теперь вперед!

Модель вторая (см. ниже)
Нужная для нее коробка должна быть такого размера, чтобы из нее могли выглядывать только ноги. Перед покраской отрежьте крышки коробки и вырежьте окна. И здесь тоже прикрепите четыре колеса из картона (а сзади может быть еще и запасное колесо, как у настоящего джипа). Внутри коробки приделайте петли — для того чтобы держать ее. Их можно сделать из упаковочного шнура. Можно приклеить еще и маленькую коробку в качестве «капота» и приделать маленькие «фары» из картона. Автомобиль готов. Шофер может войти в него снизу, и у него даже будет крыша над головой (дно коробки)!

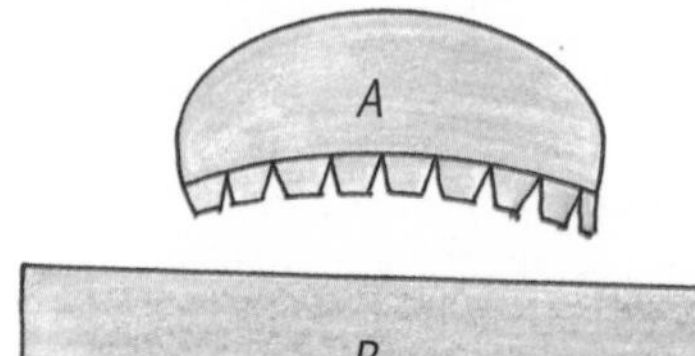

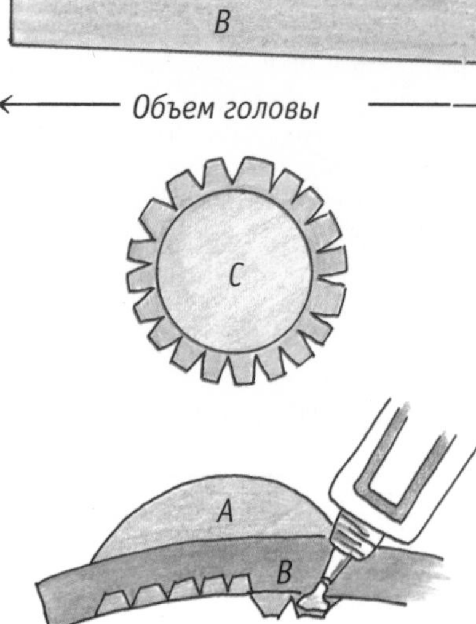

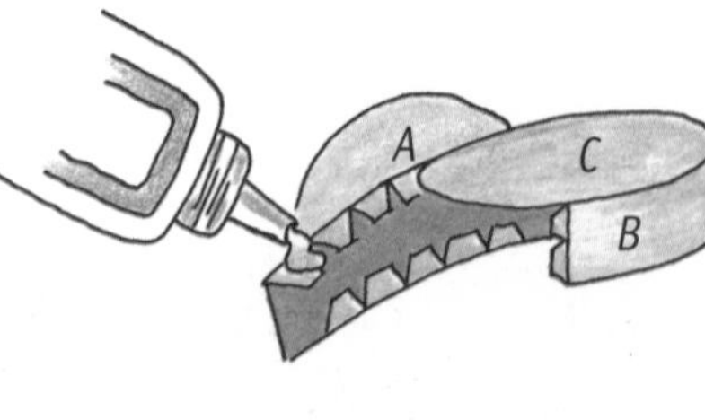

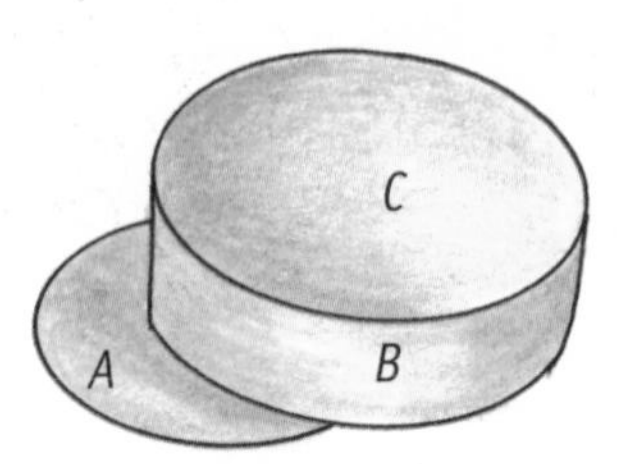

«Осторожно, поезд отправляется!»

Если в путь отправилось уже несколько автомобилей, вам потребуется милиционер, который будет регулировать движение. Смастерите ему с помощью клейкой ленты фуражку из плотной зеленой бумаги (см. рисунок слева) и дайте ему в руки свисток. Своей поварешкой — жезлом регулировщика он будет показывать водителям автомобилей, можно ли ехать или надо стоять. На ручке поварешки укрепите картонный кружок, предварительно раскрасив его с одной стороны в красный, а с другой в зеленый цвет. Если кто-нибудь нарушает правила, раздается свисток — и милиционер делает предупреждение. Кто-то из детей изображает пешеходов. После того как все необходимое подготовлено и игра началась (сначала вместе со взрослым), дети быстро осваиваются и дальше уже охотно играют самостоятельно.

Большое путешествие по железной дороге

Понадобятся:

- бумага, картон и ручки (для билетов)
- свисток
- печать или штемпель (чтобы проверять билеты)
- фуражка кондуктора
- шнур

Пассажиры! Садитесь скорей!
Что вы толкаетесь у дверей?
Помните: вы — на железной дороге.
Вместо колес будут ваши ноги!
У-у-у-у! Поехали...

Железную дорогу можно построить по принципу бегающего автомобиля, модели первой.

1. Сначала найдите побольше больших коробок. Они должны быть большими и длинными — так, чтобы хватило места для двух «пассажиров» в каждой. Тогда игра в железную дорогу доставит детям еще больше удовольствия.

2. Ножом или ножницами вырежьте в коробках окна.

3. Раскрасьте коробки. Очень весело получается, когда все вагоны раскрашены в разные цвета. Не забудьте «локомотив» выкрасить в черный цвет! Спереди к нему приклейте еще одну маленькую коробку или возьмите круглую, из-под торта. Теперь все будет выглядеть совсем по-настоящему.

Ну вот, можно и начинать большое путешествие по железной дороге!
Господа! Занимайте места, закрывайте двери. Осторожно, поезд отправляется!

Когда все готово, раздается свисток и машинист приводит поезд в движение. По дороге проводник просит предъявить билеты и ставит на них штамп: проверено. Поезд останавливается на многих станциях (в разных комнатах). Можно играть и во дворе — там свободнее.
Чтобы вагоны не отходили один от другого, «сцепите» их между собой. Для этого сделайте перед вагонами и позади них петли из шнура. Продев в них отрезки шнура, соедините вагоны между собой. Но учтите, что ездить слишком быстро нельзя, так как «сцепка» может разорваться. Скорость устанавливает машинист. Пассажиры должны приспосабливать скорость своего бега к темпу «локомотива» и друг друга.

Поездка в троллейбусе

Понадобятся:
- монетки
- прочная клейкая лента

Построить троллейбус не так трудно. Для этого потребуется или очень большая коробка, в которой сможет стоять сразу много детей, или же несколько коробок, склеенных вместе клейкой лентой. Вырежьте окна, разрисуйте коробки, приклейте к ним круглые картонные колеса и руль — троллейбус готов! Не забудьте: при входе в троллейбус нужно купить билеты у водителя за одну монетку.

Неважно, на каком транспорте дети поедут: на машине, автобусе или на поезде по железной дороге. В любом случае у них должно быть с собой самодельное удостоверение личности из плотной бумаги с фотографией или рисованным портретом: ведь когда они пересекут границу какой-нибудь страны, обязательно будет проверка, и тогда удостоверение личности очень пригодится...
А впрочем, в таких играх фантазия ничем не ограничена. Если же дети не хотят никуда ехать и предпочитают остаться дома, в уютной обстановке, то соорудите для них набор мебели из коробок для обустройства их мини-квартиры (см. далее). В эту миниатюрную квартирку они потом переедут вместе со всеми своими куклами и мягкими игрушками. А можно построить, тоже из картона, маленький домик для кукол.

Миниатюрная мебель для кукольной квартиры

Понадобятся:
- кукольная посуда
- тонкие палочки
- пустые большие спичечные коробки
- скрепки (для закрепления больших почтовых конвертов)
- лист из настенного календаря или другая большая картинка

Сначала подумайте, какими должны быть коробки и какое у них будет назначение. Вот несколько советов. Для шкафа, стола и дивана с креслами потребуются очень большие, крепкие коробки. Хорошо подойдут коробки, в которые обычно складывают вещи при переездах. Их можно дополнительно укрепить, проклеив дно клейкой лентой. Полки сделайте из коробок для обуви. Радиоприемник, телевизор, стиральную машину, плиту, кукольную кроватку соорудите из коробок, подходящих по размерам. Когда вы решите, какой мебелью обставить комнаты, начнется «творческий процесс».

Сначала распишите коробки так, чтобы диван и кресла были одного цвета, стиральная машина и плита — белые, телевизор и радиоприемник — черными, а остальное по желанию.

Подушки для сидений сшейте из остатков ткани. Набить их можно старой одеждой. Вместо скатерти можно использовать красивый лоскут.

В **стенках шкафа** прорежьте по дырочке и вставьте туда тонкую палочку, чтобы вешать на нее платья. Снаружи закрепите оба конца палочки клейкой лентой.

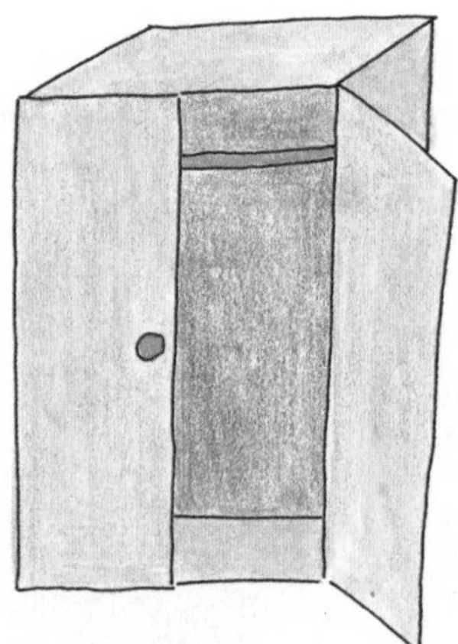

На **стиральной машине** нарисуйте круг и вырежьте его не до конца — так, чтобы дверцу можно было открывать и закрывать. В верхней части той же стенки коробки прорежьте узкое прямоугольное отверстие. Просуньте туда большую коробку из-под спичек — это будет емкость, куда засыпают стиральный порошок.

Для горелок у **плиты** понадобятся кружки из картона. Подойдут крышки от круглых коробок из-под моющих средств. Выкрасьте их в черный цвет. Маленькие кружочки прикрепите к коробке скрепками для конвертов — это будут ручки горелок.

Чтобы сделать **телевизор**, вырежьте в коробке отверстие размером с экран. Кнопки сделайте, как ручки горелок у плиты. Если еще наклеить на заднюю стенку внутри коробки старый лист календаря или другую картинку — в качестве «голубого экрана», — то иллюзия будет полной. А можно самим нарисовать картинку, да не одну.

Для **полки** (или **этажерки**) склейте вместе коробки из-под обуви. На этажерку можно поставить кукольную посуду, маленькие книжки с картинками, милые мелочи. Найдется там и отличное место для коллекции раковин и камешков.

Кукольный дом

Для него нужна самая большая коробка. Поставить ее нужно отверстием кверху, удалив крышки.

1. Красиво распишите коробку снаружи.

2. Посредине коробки укрепите клейкой лентой четырехугольную картонку так, чтобы она не падала. Получилось две комнаты. Если вам нужно больше, разделите каждую картонными перегородками. Прорежьте в наружных стенах окна.

3. Сшейте из лоскутков ткани гардины, ковры и крошечные скатерти. Вместо карнизов годятся соломинки.

4. Из коробочек разного размера склейте мебель, оклейте ее бумагой и разрисуйте.

5. Прежде чем заселять дом куклами, оклейте стены красивыми обоями из подарочной упаковочной бумаги. Теперь маленькие жители могут переезжать на новую квартиру!

Игры в масках и гриме

Маски и грим оживляют игры. Почему бы не поиграть в «слепую корову» (пятнашки), надев маску коровы?

Слепая корова

Понадобятся:
- тонкий белый ватман
- ножницы
- фломастеры или цветные ручки
- краски
- ленты

Нарисуйте на ватмане голову коровы (анфас) по размеру лица. Справа и слева прикрепите две ленты, чтобы привязывать маску. Прорези для глаз делать нельзя, чтобы корова действительно была «слепой».

Если остальные участники игры тоже хотят надеть маски, сделайте маски разных животных и вырежьте прорези для глаз. Игра оживится. Корова ловит «кошек», «собак» и всякую другую живность. Так как все, кроме коровы, могут видеть, первого ребенка изловят не сразу. Теперь «жертва» может надеть маску коровы. Видите, как легко сделать ярче и веселее давно известную и уже, может быть, наскучившую игру.

«Мышка, мышка, попищи!» А может, это Юля?

«Мышка, мышка, попищи!»

Понадобятся:
- тонкий белый картон
- ленты
- ножницы
- фломастеры или ручки

Сделайте сначала много мышиных масок и одну кошачью (у кошачьей маски нет прорезей для глаз). Дети садятся в кружок, может быть на стульях, надев мышиные маски. Кошка крадется по середине круга, прикасается к мыши и говорит: *«Мышка, мышка, попищи!»* Мышь исполняет просьбу и очень громко пищит. Если кошка не угадает, кто под маской, она может ощупать ребенка. Если снова не угадает — переходит к другой мыши. Тот, кого узнали, будет играть кошку.

Далее еще одно предложение, как можно использовать маски мышей и кошки.

Кошки-мышки

Немного изменим эту старинную игру. Мыши становятся в кружок и держатся за руки. В центре — одна из мышек и кошка.
Кошка спрашивает детей: *«Мышка дома?»*
Все отвечают: *«Нет!»*
Кошка: *«А когда она придет?»*
Все сходятся на каком-нибудь числе, например пять, машут руками и громко считают — в данном случае до пяти. На счет «пять» кошка начинает охотиться за мышью. При этом они могут выйти из круга. Дети стараются помешать кошке догнать мышь, взявшись за руки и загораживая ей дорогу из круга. Если кошка поймала мышку, они меняются ролями.

Не только старые игры становятся интереснее благодаря маскам или гриму. Очень интересно бывает поставить театральное представление, в котором могут участвовать все.

Организуем всеобщий театр

Понадобятся:

- вещи для переодевания
- грим
- самодельные и покупные маски из картона (с разными лицами)

1. Сочините подходящую к маскам историю, по возможности интересную и захватывающую.

2. Все дети и взрослые, которые хотят участвовать в представлении, выбирают себе роль и надевают маску. Если возникает спор, его разрешает взрослый.

3. Участники представления немного репетируют, прохаживаясь туда-сюда, пробуя походку, соответствующую маске (король ступает важно, величественно, ведьма хромает и так далее). Подогревают публику пробы голосов, поскольку король стремится достичь низких тонов, а ведьма хрипит. В конце можно раздать роли и публике — птицы, мыши, тигры, кошки. Им тоже придется потренироваться, произнося характерные звуки. Кроме того, нужно придумать, как изобразить удар молнии, грохотание грома, шум дождя. Один простой совет: звучит очень натурально, если топать ногами, шипеть и постукивать «дождевыми каплями по крыше» при помощи банки с сухим горохом. Точно так же можно имитировать и другие звуки (шаркающие шаги, треск костра).

4. Поставьте весь необходимый вам реквизит на «сценическую площадку».

Если не придет в голову ничего своего, то сыграть можно так, как описано далее.

История для постановки в театре

Понадобятся:

- стол
- стулья
- поднос с посудой
- маски короля, королевы, принцессы, зятя, дворецкого, лесных зверей
- вещи для переодевания
- еще немного реквизита (сундуки с сокровищами, пироги)

Жили-были король с королевой. У них была дочь. Однажды сидели они в своем замке на Лунном озере за завтраком. Король читал газету и сказал, обращаясь к королеве...

(Здесь надо сделать паузу, чтобы дать исполнителю произнести текст его роли и сыграть какое-то действие.)

Королева ответила: «Принцесса заказывает дворецкому второе яйцо». Принцесса зовет дворецкого: «Сюда, сюда, я хочу еще яйцо».

(В зависимости от способностей и желания участвующих в представлении детей можно либо заранее продумать диалоги, либо дать участникам игры возможность свободно импровизировать.)

Принцесса получает яйцо, вздыхает и говорит своему отцу: «Дорогой отец, у нас сегодня гости. Я влюблена, и мой друг тоже придет, чтобы познакомиться с тобой и с мамой».

Отец спрашивает с любопытством: (текст импровизированный.)
Мать говорит: (текст импровизированный.)
Вдруг раздается стук в дверь...
Дальнейший ход истории становится все запутаннее и динамичнее. Королю не нравится будущий зять. Он дает ему задание: найти спрятанные в лесу сокровища — только тогда он сможет взять принцессу в жены. Лесные звери помогают бедному юноше искать сокровища. В лесу его застигла гроза, но он не сдается! В конце концов жених отыскал в пещере много золота и принес его королю. Придется королю сдержать свое обещание. Он соглашается отдать юноше в жены свою дочь. Королева печет большой пирог, и все пируют на веселой свадьбе. Король убедился, что друг его дочки очень славный парень...
Эту историю можно рассказать в форме диалогов, как описано в начале. Исполнители импровизируют, сочиняя текст на ходу, когда рассказчик обращается к ним. Они играют, прибегнув к помощи масок, переодеваний и простого реквизита.
Важно подготовить историю. Это может быть сказка, рассказанная в упрощенной форме.

И еще раз обобщим все, что вам нужно продумать заранее.

1. Сделать или купить маски.

2. Заготовить историю.

3. Разделить игроков на зрителей и исполнителей.

4. Распределить роли, поставить реквизит на сцену.

5. Рассказывать историю понятно и при этом употреблять предложения с обстоятельствами образа действия. Например: *«Принцесса ужасно рассердилась»* или *«И тут королева произнесла с улыбкой»*. Но ремарки все-таки не должны быть слишком подробными. Они должны лишь подсказывать, какой собственный текст может дальше следовать, и в то же время оставлять достаточно свободы для индивидуальных вариантов. Рассказывая историю, нужно учитывать, насколько хорошо каждый исполнитель может импровизировать.

6. Чтобы представление получилось напряженнее и занимательнее, желательно использовать специальные эффекты. Можно, к примеру, раздать зрителям музыкальные инструменты и попросить их усилить грозу или сыграть подходящую музыку для королевы, делающей гимнастику. Стоит хотя бы один раз порепетировать. Когда уже наберется немного опыта, идеи начнут приходить сами собой, и пьеса выйдет захватывающей и интересной не только для зрителей, но и для исполнителей.

Выходим на улицу

Если вы уже несколько раз произнесли: *«Посидите немного спокойно!»*, или *«Не качайся на стуле!»*, или же *«Не носитесь по комнате, сядьте, посидите»*, если вам уже кажется, что веселые комнатные и застольные игры вовсе не так веселы, потому что дети ведут себя так, словно у них шило в попе, значит, пора продолжить игры на улице. Ведь там они чувствуют себя гораздо свободнее, могут вовсю побегать и вволю повеселиться. Костя выкладывается, играя в футбол, Аня несется за Мишей, чтобы его поймать, а тетя Таня запыхалась, тщетно стараясь бежать так же быстро, как дети.

Ясно одно: если все хорошенько перебесились на улице, дома снова будет гораздо легче сосредоточиться на играх. Поэтому совет такой: по возможности время от времени выходите на улицу и играйте с детьми там. Отлично, конечно, играм на улице посвятить все послеобеденное время. Даже если идет дождь, наденьте на детей купальные шапочки, натяните на них мешки для мусора (с отверстиями для головы и рук) — и идите собирать капли!

Надеюсь, игры в салочки и пятнашки, описанные в следующей главе, доставят удовольствие всем!

Салочки и пятнашки

Для салочек и пятнашек, описанных ниже, иногда нужно игровое поле. На бетоне или асфальте его можно нарисовать мелом или светлым известняковым камешком. Если почва песчаная либо глинистая, контуры игрового поля можно начертить палочкой или острым камешком, а на лугу или газоне выложить веревкой или толстым шнуром.

Блошиные скачки

Понадобится:

- платок

В этой игре участвуют одна слепая и несколько (или много) зрячих «блох». Завяжите глаза тому из детей, кто хочет сыграть слепую блоху. Он может прыгать сколько угодно. А зрячим блохам позволено сделать только десять прыжков. Поймают ли их? Если участников игры много, она продолжается до тех пор, пока слепая блоха не выловит всех остальных. Если вылавливание чересчур затянется, слепой блохе должны помочь дети.

Побег из тюрьмы

Нарисуйте на земле большое прямоугольное поле. В середине начертите маленький квадрат — это «тюрьма». Там сидят два злодея. Члены банды, к которой они принадлежат, собираются их освободить. Вокруг тюрьмы все время патрулирует полицейский. Члены банды пытаются выручить своих товарищей, незаметно постучав по их спинам ладонью. Если страж порядка это заметит, всю банду тоже отправляют в кутузку.

Жмурки

Понадобится:

- маска или платок

Начинает водящий. Он надевает маску или завязывает себе платком глаза, а затем старается прикоснуться к тем, кто вокруг него. Тот, кого водящий заденет, застывает на месте без движения. Кто останется, получит маску или ему завяжут глаза, и теперь он будет «слепым».

Лиса и гуси

Гуси пытаются выследить лису, спрятавшуюся в норе. Если они ее нашли, то все громко кричат: *«Лиса! Лиса!»* — и убегают от нее. Если лиса поймает гуся, она тащит его в новую нору, и дети теперь ищут их обоих. Или игра начинается снова, и пойманный гусь ловит бывшую лису, ставшую гусем.

Поймаем канат

Понадобится:
- ✽ веревочка (прыгалка)

Кто-нибудь из детей получает прыгалку. Один конец он держит в руке, другой свободно лежит на земле. Ребенок бежит на небольшом расстоянии перед детьми и тянет за собой прыгалку. Все остальные должны стараться поймать конец, извивающийся по земле. У кого это получится, тот теперь сам бежит с прыгалкой.

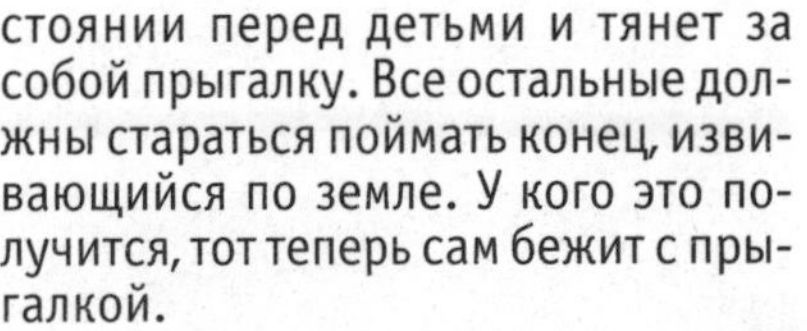

Воздушная кукуруза

В этой игре участвует четное количество играющих. У них в распоряжении очень маленькое игровое поле. Каждый складывает руки на груди и прыгает, как воздушная кукуруза (попкорн). При этом он уклоняется от встреч с остальными. Если два зерна воздушной кукурузы прикоснутся друг к другу, значит, они «склеились» и должны теперь прыгать вместе. Игра окончена, если остались прыгать только «парочки».

Красный – зеленый

Понадобится:
- ✽ немного краски, например красной и зеленой

В этой игре участвует не менее четырех человек. На достаточно большом расстоянии друг от друга проведите две параллельные черты. Разделите детей на две группы. Поставьте их посередине между двумя чертами — команда против команды. Чтобы различать команды, нарисуйте каждому на носу точки: например, зеленые — одной команде и красные — другой. Если ведущий кричит: «Зеленый!» — то команда «зеленых» бежит к своей черте, а «красные» пытаются поймать их — чем больше, тем лучше. Пойманным приходится менять цвет и играть на стороне бывших противников.

Заяц в траве

«Ловец зайцев» находится в круге диаметром от 10 до 15 м. Зайцы стоят вокруг, рассчитавшись на первый, второй, третий, четвертый. Ведущий называет число от одного до четырех. Все зайцы с названным номером входят в круг. Охотник за зайцами пытается поймать кого-нибудь из детей и в случае успеха меняется с пойманным ролями.

Кенгуру идут в зоопарк

Представьте себе, что несколько кенгуру решили сходить в зоопарк, в гости к другим животным, и разыграйте эту сцену. Дети должны подражать походкам и голосам разных животных. Среди них-то и скачут «кенгуру». Эта веселая игра хорошо снимает мышечное напряжение. Игра может проходить примерно так.

Кенгуру: прыгают на месте или скачут туда-сюда.

Слон: берется одной рукой за нос, слегка приподнимает другую руку и вытягивает ее вперед.

Жираф: поднимает обе руки вверх и ходит на цыпочках.

Пингвин: отводит выпрямленные руки за спину и растопыривает пальцы. Походка качающаяся.

Аист: ходит на цыпочках, высоко поднимая ноги.

Лошадь: скачет галопом.

Еще один шар на поле противника — и левая команда выиграла.

Освободите поле

Понадобятся:

- на каждого ребенка — по воздушному шарику

Разделите имеющееся место на два поля и составьте из играющих две команды. Дети должны загнать воздушные шарики на поле противника. Игра окончена, когда на каком-нибудь одном поле не осталось ни одного шарика, а назначенное время истекло либо когда дети устанут.

Хинки-Пинки

Дети становятся в круг. Они поют или произносят такой, например, текст:

Правую руку вытянем вперед!

(Все протягивают руки к центру круга.)

Правую руку отведем назад!

(Руку отводят назад.)

Правую руку вытянем вперед
и кистью руки потрясем!

(Все трясут кистями рук в центре круга.)

Хинки-Пинки пришел! Хинки-Пинки пришел! Он по кругу нас повернул!

(Дети достают обеими руками до земли, выпрямляются и поворачиваются вокруг своей оси.)

Хинки-Пинки, Хинки-Пинки, Хинки-Пинки! Начинаем снова мы игру...

(Все кладут руки на бедра, присе-

дают с разворотом в сторону и двигают попой.)

Левую руку вытянем вперед...

Правую руку вытянем вперед...

Левую ногу вытянем вперед...

Сами вбегаем в круг...

«Со мной иди! Прочь беги!

Участники игры собираются в кружок. Один из детей, ведущий, ходит по кругу за их спинами. Он останавливается около любого игрока, несколько раз прикасается к нему пальцем и говорит: *«Со мной иди!»* Тот должен побежать по кругу вслед за ведущим. Если же ведущий скажет: *«Прочь беги!»* — тот, к кому он прикоснулся, должен бежать по кругу в противоположном направлении. Цель игры — первым достичь освободившегося места и встать на него. Кто опоздает, тот должен уже сам выбрать следующего игрока и легонько прикоснуться к нему.

Царь и восемь сыновей

Сколько у царя детей? Спросим!
— Дочек нет, а сыновей восемь!
Рано утром по порядку
Первый делает зарядку.
— Как?
— А вот так!
(Все дети быстро взмахивают правой рукой.)
А за первым по порядку
Делает второй зарядку.
— Как?
— А вот так!
(Дети быстро взмахивают левой рукой.)
Вслед за братом по порядку
Третий делает зарядку.
— Как?
— А вот так!
(Взмах вперед правой ногой.)
А за третьим по порядку
Встал четвертый на зарядку.
— Как?
— А вот так!
(Взмах вперед левой ногой.)
За четвертым по порядку
Пятый делает зарядку.
— Как?
— А вот так!
(Взмах вперед то правой, то левой рукой.)
А за пятым по порядку
Делает шестой зарядку.
— Как?
— А вот так!
(Взмах вперед то правой, то левой ногой.)
Вслед за братом по порядку
Делает седьмой зарядку.
— Как?
— А вот так!
(Взмах одновременно правой рукой и правой ногой.)
А за братом по порядку
Делает восьмой зарядку.
— Как?
— А вот так!
(Взмах одновременно левой рукой и левой ногой.)
В конце дети безвольно опускаются на пол или падают на ковер.

Танцевальная песенка

Дети становятся друг против друга и поют под какую-нибудь танцевальную мелодию (под магнитофонную кассету), например, такую песню:

Уж я сеяла, сеяла ленок,
Уж я, сеяв, приговаривала,
Чеботами приколачивала!

Припев:
Ты удайся, удайся, ленок,
Ты удайся, мой беленький ленок!

Я полола, полола ленок,
Я, половши, приговаривала,
Чеботами приколачивала!
Припев.

Уж я дергала, дергала ленок,
Уж я, дергав, приговаривала,
Чеботами приколачивала!
Припев.

Уж я стлала, я стлала ленок,
Уж я, стлавши, приговаривала,
Чеботами приколачивала!
Припев.

Я мочила, мочила ленок,
Я, мочивши, приговаривала,
Чеботами приколачивала!
Припев.

Я сушила, сушила ленок,
Я, сушивши, приговаривала,
Чеботами приколачивала!
Припев.

Уж я мяла, я мяла ленок,
Уж я, мявши, приговаривала,
Чеботами приколачивала!
Припев.

Я трепала, трепала ленок,
Я, трепавши, приговаривала,
Чеботами приколачивала!
Припев.

Я чесала, чесала ленок,
Я, чесавши, приговаривала,
Чеботами приколачивала!
Припев.

Уж я пряла, пряла ленок,
Уж я, прявши, приговаривала,
Чеботами приколачивала!
Припев.

Уж я ткала, я ткала ленок,
Уж я, ткавши, приговаривала,
Чеботами приколачивала!
Припев.

При пении дети показывают, как они сеют, полют, дергают и т. д. Конечно, они это делают вслед за ведущим.

Песенка-игра про воробышка

— Скажи, скажи, воробышек,
Скажи, скажи, молоденький,
Как старые ходят,
Как они гуляют?
— Они эдак и вот так,
А все они эдак!
— Скажи, скажи, воробышек,
Скажи, скажи, молоденький,
Как молодые ходят?
Как они гуляют?
— Они эдак и вот так,
А все они эдак!

— Скажи, скажи, воробышек,
Скажи, скажи, молоденький,
Как молодцы ходят,
Как они гуляют?
— Они эдак и вот так,
А все они эдак!
— Скажи, скажи, воробышек,
Скажи, скажи, молоденький,
Как девицы ходят,
Как они гуляют?
— Они эдак и вот так,
А все они эдак!
— Скажи, скажи, воробышек,
Скажи, скажи, молоденький,
Как собачки ходят,
Как они гуляют?
— Они эдак и вот так,
А все они эдак!

— Скажи, скажи, воробышек,
Скажи, скажи, молоденький,
Как кошечки ходят,
Как они гуляют?
— Они эдак и вот так,
А все они эдак!
— Скажи, скажи, воробышек,
Скажи, скажи, молоденький,
Как лошадки ходят,
Как они гуляют?
— Они эдак и вот так,
А все они эдак!
— Скажи, скажи, воробышек,
Скажи, скажи, молоденький,
А как хрюшечки ходят,
Как они гуляют?
— Они эдак и вот так,
А все они эдак!

Дети все вместе изображают, кто как хочет, походку тех, о ком поется в песенке. Можно придумать, «как ходят и гуляют» вороны, курочки, зайчики и т. д.

Щиплем перья

Понадобятся:
- бельевые прищепки

Двое или четверо детей будут ловцами. Им дают бельевые прищепки, и они прищепляют их себе на одежду. Если ловцы поймают одного из убегающих детей, они прикрепляют ему прищепку. Победит тот ловец, который первым останется без своих прищепок.

Построим мосты

Один или несколько из игроков стараются осалить тех, кто бегает. Если это удалось, те должны замереть на месте. Осаленные игроки могут объединяться и строить мост, взявшись, например, за руки. Освободиться они смогут, если убегающие от ловцов дети проползут под «мостом».

Осьминог

Осьминог стоит по одну сторону черты, остальные дети — по другую. Каждый игрок, которого поймает осьминог, автоматически превращается в моллюска, падает на колени и разводит руки в стороны.

Удастся ли дойти до цели с горячей свечкой?

Бег со свечами

Понадобятся:
- свечи

Дети стоят друг против друга, образуя проход шириной не менее метра. Двое детей должны без помех пронести зажженные свечи по этому проходу до намеченной цели. Остальные стараются задуть свечи. Кому из двоих удастся первым дойти до цели с горящей свечой, будет победителем. Во время игры желательно петь песенку, к примеру, на такие слова:

Посмотри, они идут,
Свечку бережно несут.
Если свечку им задую,
Сам я понесу другую.

«Мой дружочек, побывай у меня!»

Еще одна песня с игровыми действиями. Дети стоят в кружок, поют и изображают с помощью движений то, о чем поется в песне. Если хотят, они могут и приплясывать.

— Мой дружочек, побывай у меня!
Душа-радость, побывай у меня!
Побывай-бывай-бывай у меня!
Душа-радость, побывай у меня!

— Я бы рад побывать у тебя!
Побывать-бывать-бывать у тебя.
У тебя, подружка, улица грязна,
Так грязна-грязна-грязна, так грязна!

— Мой дружочек, тому горю помогу,
Помогу-могу-могу, помогу:
Чрез дорогу я мосточек намощу,
Намощу-мощу-мощу, намощу!
Мой дружочек, побывай у меня!
Душа-радость, побывай у меня!
Побывай-бывай-бывай у меня!
Душа-радость, побывай у меня!

— Я бы рад побывать у тебя,
Да ворота у тебя скрипучи,
Скрипучи-пучи-пучи, скрипучи!

— Мой дружочек, тому горю помогу,
Помогу-могу-могу, помогу:
Под ворота кусок сала положу,
Положу-ложу-ложу, положу!
Мой дружочек, побывай у меня!
Душа-радость, побывай у меня!
Побывай-бывай-бывай у меня!
Душа-радость, побывай у меня!

— Я бы рад побывать у тебя,
Побывать-бывать-бывать у тебя.
Да у тебя, дружок, собачка лиха,
Уж лиха-лиха-лиха, так лиха!

— Мой дружочек, тому горю помогу,
Помогу-могу-могу, помогу:
Я собачку на цепочку привяжу,
Привяжу-вяжу-вяжу, привяжу!

Железнодорожная эстафета

Разделите детей на группы. Они должны встать на заранее определенную линию старта. Первый член команды («локомотив») бежит несколько метров до какой-то определенной цели (камень, дерево), огибает ее, возвращается и, прикоснувшись к следующему игроку («вагону») своей команды, передает ему эстафету. Тот кладет руки на плечи первого бегуна («локомотива»), и они бегут — сначала вдвоем, потом втроем, а под конец и целым «поездом». Какой из «локомотивов» придет к цели вместе со всеми своими «вагонами», та команда и выиграла. Если «сцепка» оборвалась, «локомотив» должен еще раз отправиться в путь и собрать свои «вагоны».